COMO DESVENDAR SEGREDOS

Dr. David Craig
Especialista internacional em operações secretas

COMO DESVENDAR SEGREDOS

AS CHAVES PARA DESCOBRIR TUDO AQUILO QUE VOCÊ
QUER SABER E QUE AS PESSOAS NÃO QUEREM LHE CONTAR

Tradução
MARCELLO BORGES

Editora Cultrix
SÃO PAULO

Título original: *Unlocking Secrets.*

Copyright © 2013 Dr. David Craig.

Copyright da edição brasileira © 2015 Editora Pensamento-Cultrix Ltda.

Texto de acordo com as novas regras ortográficas da língua portuguesa.

1ª edição 2015.
1ª reimpressão 2017.

Todos os direitos reservados. Nenhuma parte desta obra pode ser reproduzida ou usada de qualquer forma ou por qualquer meio, eletrônico ou mecânico, inclusive fotocópias, gravações ou sistema de armazenamento em banco de dados, sem permissão por escrito, exceto nos casos de trechos curtos citados em resenhas críticas ou artigos de revistas.

A Editora Cultrix não se responsabiliza por eventuais mudanças ocorridas nos endereços convencionais ou eletrônicos citados neste livro.

Advertência: As opiniões e comentários neste livro são exclusivamente do autor. O autor não representa nenhuma agência governamental, empresa comercial ou entidade privada. As técnicas contidas neste livro são usadas por profissionais de elicitação do mundo todo, e, se aplicadas corretamente, aumentam a chance de se obter informações mantidas em segredo da maioria das pessoas. Entretanto, nenhuma técnica é 100% acurada e sempre se deve ter cautela. As técnicas mostradas neste livro não foram elencadas para uso em atividades ilegais ou antiéticas. O autor não oferece garantias caso as informações deste livro sejam usadas para fins ilegais. Para proteger a identidade de alguns agentes secretos e de suas operações e para respeitar as leis de sigilo, alguns nomes, circunstâncias e lugares foram alterados nos exemplos dados neste livro.

Editor: Adilson Silva Ramachandra
Editora de texto: Denise de C. Rocha Delela
Coordenação editorial: Roseli de S. Ferraz
Preparação de originais: Olga Sérvulo
Produção editorial: Indiara Faria Kayo
Editoração eletrônica: Join Bureau
Revisão: Vivian Miwa Matsushita

Dados Internacionais de Catalogação na Publicação (CIP)
(Câmara Brasileira do Livro, SP, Brasil)

Craig, David
    Como desvendar segredos / David Craig ; tradução Marcello Borges.
– 1. ed. – São Paulo : Cultrix, 2015.

    Título original : Unlocking secrets.
    Bibliografia.
    ISBN 978-85-316-1314-2

    1. Comunicações confidenciais 2. Segredos 3. Segredos –
Aspectos psicológicos I. Título.

15-00370
                               CDD-158.2

Índices para catálogo sistemático:

1. Segredos : aspectos psicológicos : Psicologia aplicada   158.2

Direitos de tradução para a língua portuguesa adquiridos com exclusividade pela
EDITORA PENSAMENTO-CULTRIX LTDA., que se reserva a
propriedade literária desta tradução.
Rua Dr. Mário Vicente, 368 – 04270-000 – São Paulo, SP
Fone: (11) 2066-9000 – Fax: (11) 2066-9008
http://www.editoracultrix.com.br
E-mail: atendimento@editoracultrix.com.br
Foi feito o depósito legal.

Gostaria de dedicar este livro a todos aqueles cuja vida foi afetada pelo câncer. Sua qualidade de vida e os desafios enfrentados em sua luta individual contra essa doença encontram grande apoio nos pesquisadores que trabalham incansavelmente para descobrir curas e alternativas mais adequadas de tratamento, nos médicos especializados que cuidam desses pacientes diariamente e nas pessoas de bom coração, que contribuem com tempo e dinheiro para essa causa.

Admiro muito a coragem das vítimas dessa doença, bem como suas famílias, que os apoiam. E nenhuma mais do que a família Neave, que combateu um gene mutante do câncer (BRCA2), raro e agressivo, que já levou uma bisavó e uma avó. As duas irmãs Neave mais velhas, Veronica e Chrissy, evitaram o ataque do gene submetendo-se a uma cirurgia radical. A terceira irmã, Elisha, e sua mãe, Claudette, não tiveram a mesma sorte, e para elas a luta está acirrada.

Este livro é dedicado à família Neave e a outras que se encontram numa luta similar pela vida.

SUMÁRIO

Washington DC, 2000 11

Introdução 15
   Fora com o velho, viva o novo!.................................... 17
   Levando-os a falar – elicitação.................................... 17

Parte Um: A natureza oculta dos segredos 21
   O que é um segredo? 26
   Tipos de segredo 28
      Segredos focados na pessoa 29
      Segredos focados nos outros 32
   A função da ocultação de informações 35
      Segredos da infância 36
      Segredos da adolescência 38
      Segredos adultos 40
      Segredos de família 43
      Segredos no local de trabalho.............................. 46
   O efeito e a influência dos segredos............................ 52
      Atrações secretas, relacionamentos secretos e ursos brancos... 52
      Revelar segredos pode trazer benefícios à saúde? 57
   Principais tópicos da Parte Um 61

Parte Dois: A ciência na arte de se desvendar segredos ... 67

O que é elicitação? ... 70

A elicitação em ação ... 74

Elicitação direta ... 76

Exemplos de elicitação direta ... 76

Técnicas de elicitação direta ... 77

Evitando o impasse – fazendo perguntas com "espaço para manobras" ... 78

Dissolvendo barreiras de autoridade e demonstrando empatia emocional ... 81

Fazendo perguntas abertas ... 86

Perguntas fechadas *versus* perguntas abertas ... 87

Usando o silêncio ... 88

Elicitação indireta ... 91

Exemplos de elicitação indireta ... 93

Técnicas de elicitação indireta ... 94

"Ser aquela pessoa" usando estima, vinculação emocional e espelhamento psicológico ... 95

Principais tópicos da Parte Dois ... 107

Parte Três: Conectando-se – gancho, linha e sincronia ... 111

O anzol adequado para cada peixe ... 114

Lançando a linha de elicitação ... 118

Elogios ... 120

Compartilhando um segredo inventado para descobrir um segredo real ... 125

Um pelo outro – reciprocidade ... 128

Acredite: a incredulidade funciona! ... 133

Declaração falsa ... 134

Nunca mais vou ver você ... 136

Escolha um inimigo em comum ... 138

Exclusivamente seu! ... 140

Puxa, você é importante mesmo, por favor,
fale mais sobre isso!... 144

Escolhendo uma sincronia 145

Principais tópicos da Parte Três 150

Juntando tudo: Desvendando segredos para solucionar um
crime de verdade.. 152

Primeiro trecho 155

Segundo trecho 156

Terceiro trecho 157

Quarto trecho 158

Quinto trecho 158

Sexto trecho 159

Sétimo trecho 160

Oitavo trecho 162

Nono trecho.. 164

Trecho conclusivo.. 165

O resultado 165

Parte Quatro: Modelo READ de Elicitação................... 167

Sugestões práticas para descobrir segredos..................... 169

Como os espiões usam o READ 170

Revelando as etapas do READ 172

PRIMEIRA ETAPA: Pesquise e avalie o guardião do segredo.... 174

SEGUNDA ETAPA: Conecte-se com o guardião do
segredo – gancho, linha e sincronia............................ 180

TERCEIRA ETAPA: Ganhe acesso à informação oculta –
O portal para o sigilo... 184

QUARTA ETAPA: Desvie a conversa 187

Principais tópicos da Parte Quatro 190

Vá à luta!... 193

Notas 195

Bibliografia.. 203

WASHINGTON DC, 2000

Era novembro de 2000; quatro meses após a conclusão do meu doutorado em Operações Secretas, o ápice de vários anos empenhados na pesquisa de táticas secretas e de pessoas que se dedicam a operações clandestinas. Pouco antes, eu tinha passado uma década na Polícia Federal Australiana, atuando em diversos países e em várias missões – muitas delas sob disfarce.

Eu tinha acabado de concluir um trabalho em outro país e voara diretamente de lá para Washington, a fim de auxiliar num curso de treinamento em operações secretas. Antes desse treinamento, porém, havia uma pessoa que eu queria conhecer. Ele foi o primeiro agente secreto do FBI a se infiltrar com sucesso na Máfia; nessa época, seu nome era Joe D. Pistone.

Durante a operação secreta do FBI chamada "Sun-Apple", Joe morou em Miami e em Nova York, trabalhando junto ao círculo mais reservado da Máfia dessas cidades por um período de seis anos. Graças à sua coleta de provas, numa ação destemida e tenaz, duzentos membros da Máfia receberam penas pesadas por crimes que iam de extorsão a assassinato. Ele passou muitos anos no programa de proteção a testemunhas e hoje convive com uma recompensa de 500 mil dólares da Máfia por sua cabeça. Naturalmente, usa outro nome. Apesar disso, Hollywood conseguiu fazer um filme, *Donnie Brasco*, sobre suas façanhas – o papel de Joe foi representado por Johnny Depp.

Eu quis conhecer Joe para aprender com sua experiência e analisar por que ele, mais do que qualquer outra pessoa, teve tanto sucesso. A Máfia gostaria de conhecer Joe – mas por um motivo bem diferente.

Depois de deixar o aeroporto e de me encaminhar até o ponto de encontro, tomei medidas de contravigilância para me assegurar de que não estava sendo seguido, pois não queria levar nenhum convidado indesejável à nossa reunião. Encontramo-nos num local secreto e fui diretamente ao ponto...

Eu disse: "E então, XXXX (nome preservado), quais eram suas melhores armas psicológicas na época em que você trabalhou como agente secreto?".

Ele respondeu: "Bem, Dave, você precisa saber quem você é na verdade e o que você representa – e precisa ser capaz de fazê-los falar. Se eles não falarem, não vai aprender nada sobre eles ou sobre o que fazem. É preciso conseguir fazê-los falar".

Tendo trabalhado como agente secreto, eu sabia como isso era verdadeiro. A angústia e o sacrifício de uma operação secreta de nada valiam se você só conseguisse o silêncio! Passei algum tempo conversando com XXXX, ouvindo-o e conhecendo seu consagrado *modus operandi* secreto.

Agora, depois de 22 anos de trabalho como policial federal e oito anos como consultor e treinador em operações de espionagem para empresas e órgãos governamentais, gostaria de compartilhar algumas das técnicas interpessoais mais eficazes que aprendi nesse período. Em *Como Desvendar Segredos*, traduzi os métodos superavançados empregados por espiões e agentes secretos para obter informações sigilosas, mostrando como você pode usar essas técnicas em situações cotidianas profissionais e pessoais. Elas vão lhe proporcionar uma clara vantagem psicológica nos negócios e em relacionamentos profissionais e pessoais – superando qualquer coisa que já tenha sido publicamente divulgada antes.

Como Desvendar Segredos é o segundo livro de minha série *Psychological Edge* [Vantagem Psicológica], e fundamenta-se no primeiro livro da série, *Lie Catcher: Become a Human Lie Detector in Under 60 Minutes.** Esses livros se complementam; o primeiro, *Como Identificar um Mentiroso*, o ajuda a perceber quando uma pessoa está mentindo e esconde informações de você; e o segundo, *Como Desvendar Segredos,* apresenta meios para ter acesso a essas informações. Mas não é necessário ter lido o primeiro livro para aprender e aplicar as técnicas apresentadas nesta obra.

Depois de ler este livro e praticar suas técnicas, você conseguirá entender melhor as pessoas, e influenciá-las; elas vão se "abrir" com você e lhe dar informações que, normalmente, não divulgariam – e farão isso de livre e espontânea vontade.

Leia e colha os benefícios que essas técnicas singulares podem lhe proporcionar. Boa sorte!

---

* *Como Identificar um Mentiroso: Torne-se um Verdadeiro Identificador de Mentiras Humano em Menos de 60 Segundos*, publicado pela Editora Cultrix, São Paulo, 2013.

INTRODUÇÃO

As pessoas escondem informações umas das outras por diversos motivos – alguns inofensivos, outros não. A informação que nos é ocultada é secreta e, em muitas circunstâncias, pode ser vantajoso ter conhecimento dela. Há muito que espiões e agentes secretos têm conseguido, com sucesso, fazer com que as pessoas revelem informações sigilosas. Nas páginas a seguir, exponho as técnicas usadas por esses especialistas para extrair informações, para que você possa aplicá-las com a mesma eficiência em suas situações cotidianas pessoais e profissionais. Essas técnicas avançadas de comunicação interpessoal vão lhe proporcionar uma vantagem psicológica sem precedentes.

Você já se viu diante de uma situação em que sabia que alguém não ia lhe dar todas as informações de que precisava? Pode ter sido uma criança, um cliente, o cônjuge, um colega de trabalho ou um concorrente. Este livro vai lhe dar todo o conhecimento e as técnicas práticas necessários para fazer com que as pessoas compartilhem essas informações secretas e ocultas, e de bom grado.

Você pode ter se sentido atraído por este livro porque alguém ocultou informações de você no passado, e isso acabou desapontando, magoando ou prejudicando você – ou alguma pessoa próxima. Talvez você precise ter conhecimento de informações sigilosas para melhorar a forma como lida com:

- Crianças ou alunos.
- Clientes em potencial.
- Pacientes ou sócios.
- Concorrentes nos negócios.

Você também pode usar informações ocultas para:

- Criar novos contatos.
- Melhorar sua rede de contatos.
- Encontrar uma pessoa especial – sim, essas técnicas podem ajudar você a namorar e até a enriquecer um relacionamento já existente!
- Motivar e influenciar as pessoas para aprimorarem seus relacionamentos pessoais e profissionais.

Ter acesso a segredos é a chave para conseguir tudo isso. Mas os segredos são apenas isso – segredos. Eles são um tema fascinante, e geralmente nos sentimos privilegiados quando alguém compartilha conosco seu segredo mais bem guardado. Às vezes, porém, as pessoas nos ocultam informações que poderíamos empregar para nos proteger melhor e a nossos relacionamentos, para auxiliar a pessoa que guarda o segredo (num caso envolvendo filhos, clientes ou pacientes) e para obter alguma vantagem nos negócios. Na *Parte Um*, conto tudo sobre os segredos – por que as pessoas guardam segredos e os efeitos de mantê-los e de revelá-los.

A meta aqui não é lhe dar ferramentas para prejudicar ou envergonhar as pessoas, levando-as a revelar seus segredos, mas para beneficiar e proteger tanto a elas quanto a você. Descobrir informações secretas pode libertar uma pessoa, ajudá-la a lidar com seu bem-estar e proporcionar muitos dados necessários aos profissionais de medicina, advogados, professores e pais. Além disso, pode fortalecer uma posição nos negócios, proporcionar uma vantagem competitiva, aumentar as vendas e melhorar a postura psicológica no trabalho.

FORA COM O VELHO, VIVA O NOVO!

No início da década de 1980, a linguagem corporal era a nova fronteira das comunicações interpessoais, e havia uma explosão de informações sobre ela. Livros sobre o assunto abriam novos horizontes e aumentavam muito nossa compreensão acerca da comunicação interpessoal. Conhecer a linguagem corporal proporcionava uma vantagem e uma percepção fantásticas aos possuidores desse "novo conhecimento". Hoje, porém, há literalmente centenas de livros sobre esse assunto e como ele pode ser aplicado à vida diária. Há quem procure imitar ou falsear sinais de linguagem corporal para obter vantagens ou dar falsas impressões. Há até cursos de treinamento para quem deseja fazer exatamente isso!

A nova fronteira para pessoas motivadas, com sede de conhecimento e que desejam aprimorar sua comunicação interpessoal está na compreensão, no desenvolvimento e na aplicação de técnicas psicológicas avançadas. Essas técnicas não excluem a necessidade de compreender a linguagem corporal, mas, por haver tanta gente que entende disso nos dias de hoje, precisamos procurar em outro território nossa vantagem na comunicação interpessoal. Já avançamos no século XXI e já é hora de fazer com que nossas técnicas mentais interpessoais acompanhem nossas técnicas corporais interpessoais!

A nova fronteira não é mais física, como a linguagem corporal – agora, ela é psicológica.

LEVANDO-OS A FALAR – ELICITAÇÃO

Na *Parte Dois*, falo da elicitação. A palavra "elicitação" é muito usada por agências governamentais de inteligência, agentes secretos e agentes sob disfarce, para descrever a sutil extração verbal de informações de pessoas que lhes interessam. Em outras palavras, "a elicitação revela informações ocultas". A tática de elicitação tem sido usada há muitos anos e até hoje é o principal meio de obtenção de informações pelos programas de inteligência defensivos e ofensivos das agências de espionagem.

Em 2001, por exemplo, eu estava trabalhando na região da selva, na fronteira que separa o Timor Leste da Indonésia. Na época, havia diversos grupos de milícias do lado indonésio da fronteira, realizando ataques violentos ao Timor Leste, com consequências devastadoras para a população civil. Usando os conhecimentos que apresento na *Parte Um* e na *Parte Dois* deste livro, bem como as técnicas práticas da *Parte Três e Quatro*, pude extrair informações de um contato da fronteira, que, *sem perceber,* me revelou dados suficientes para que a Inteligência do Quartel-General pudesse desvendar o horário planejado do ataque seguinte. Com isso, a Força de Paz da ONU, que já estava de prontidão na hora do ataque, pôde deter vários milicianos – e poupar muitos civis.

Talvez você não precise usar técnicas de elicitação num ambiente tão extremo. Entretanto, *Como Desvendar Segredos* aplica essas consagradas técnicas de elicitação a situações do cotidiano. Na *Parte Três*, mostro como usar técnicas interpessoais eficazes para iniciar conversas com as pessoas, fazer com que gostem de você e, em última análise, levá-las a se abrir com você. Você pode usar essas técnicas em situações como a da criança que não quer admitir que fez alguma coisa errada, ou quando alguém, um paciente ou um cliente, tem um segredo profundo e doloroso ao qual você precisa ter acesso para oferecer o apoio de que a pessoa precisa. Nos negócios, pode ser um concorrente, um cliente, um colega, sua equipe ou seu supervisor que possui uma informação que lhe daria uma vantagem ou uma percepção importante.

A elicitação vai lhe dar acesso a essa informação, e *Como Desvendar Segredos* mostra como fazê-lo, usando as quatro etapas simples do Modelo READ de Elicitação, que apresento na *Parte Quatro*. Idealizado especificamente para este livro, e apresentado ao público pela primeira vez, esse modelo muito eficiente simplifica um processo que, de outro modo, seria complexo, permitindo-lhe descobrir a informação secreta desejada.

Em termos comparativos, a guarda de segredos é uma área pouco pesquisada e sempre foi um campo minado da complexa psicologia teórica. Menos ainda se sabe sobre como extrair informações secretas de alguém, e muito tem ficado oculto sob um véu de sigilo pelas agências de espionagem – até agora. *Como Desvendar Segredos* se vale das mais recentes teorias e de algumas das mais eficientes ferramentas psicológicas empregadas pelo mundo das operações secretas e seu jogo que envolve casos de espionagem, mostrando como podem ser usadas de forma simples e eficaz para lhe dar uma vantagem em situações do cotidiano.

PARTE UM:

A NATUREZA OCULTA DOS SEGREDOS

Esta parte do livro contém um volume necessário de informações teóricas sobre o motivo que leva as pessoas a manterem em segredo certas informações – ou seja, por que guardam segredos. Estamos procurando descobrir informações ocultas e, para fazê-lo com sucesso, precisamos ter um conhecimento prático da teoria por trás da guarda de segredos. Quando descobrimos informações ocultas, estamos lidando com diversas dinâmicas e fatores psicológicos humanos, que variam de uma pessoa (e seu ambiente) para outra.

O Modelo READ de Elicitação (explicado na *Parte Quatro*) vai ajudá-lo muito nesse processo. Contudo, sem compreender a razão pela qual uma determinada pessoa, em dada circunstância, está ocultando uma informação, você terá apenas metade da resposta. Compreendendo bem como funciona a guarda de segredos, você poderá calibrar, ajustar e manter flexíveis suas estratégias de elicitação, e, como resultado, terá mais sucesso.

Qualquer informação ocultada de você pode ser considerada um segredo. O tema dos segredos já é algo envolvido por certo mistério e intriga na cabeça de muita gente, em diversas culturas. Uma pesquisa rápida na Internet usando a palavra-chave "segredo" produz quase 10 milhões de resultados, que vão desde "segredos para manter seu cão feliz" a "segredos governamentais revelados". Todos sabem o que é um segredo, e muitos estão interessados em descobrir algo secreto de outras pessoas.

Os *paparazzi* perseguem, invadem e provocam os ricos e famosos, no afã de descobrir atividades secretas, visando satisfazer a insaciável sede do público pelas últimas revelações. Ao que parece, os passos mais perseguidos são aqueles que os ricos e famosos mais se esforçam em ocultar – uma separação, um novo romance, problemas de saúde ou com drogas, ou um esqueleto escondido no passado. Nessa busca por informações sigilosas, alguns jornais agiram ilegalmente, interceptando telefonemas particulares de pessoas conhecidas, a fim de descobrir informações secretas – até os jornais as revelarem.

Todos os dias, as pessoas ficam em volta do bebedouro, no refeitório, no café e em bares discutindo aquilo que outras pessoas *podem* estar fazendo, quem *pode* estar tendo um caso com quem, ou o que alguém *pode* ter dito ou feito. Naturalmente, a informação mais valorizada é aquela que ninguém mais tem no escritório. Ela proporciona poder e vantagens para aquele que a detém. É lógico que os mexericos de escritório morreriam rápido, assim como os *blogs* de fofocas e o jornalismo de tabloide, caso as pessoas não se interessassem pelas atividades ocultas dos outros.

Comercialmente, guardam-se segredos para proteger descobertas tecnológicas, programas de pesquisa e fórmulas de produtos. Do mesmo modo, estratégias empresariais e de marketing são mantidas a salvo dos concorrentes para se garantir uma vantagem sobre eles. Não é incomum as empresas esconderem informações que possam preocupar os acionistas, como fusões próximas, perdas de mercado ou vendas, num esforço para proteger o valor das ações (ou até o emprego do CEO!). Leiloeiros protegem zelosamente informações sobre preço mínimo e lojistas ocultam o *verdadeiro* preço dos itens que vendem. Segredos no mercado de ações (informações privilegiadas) são preservados a custa de sérias medidas penais contra aqueles que os divulgam.

Da mesma maneira, os governos protegem suas informações tanto internamente quanto de outros governos por meio de leis, políticas e agências de inteligência. Estas também costumam se encarregar de descobrir, discretamente, os segredos de outros governos, que vão desde preços mínimos de mercadorias (como trigo, lã, minerais etc.) até informações militares. Além disso, propriedades intelectuais e segredos empresariais são muito cobiçados por empresas e governos concorrentes, como a China.[2] Não restam dúvidas: conhecer os segredos alheios é um grande negócio.

Os segredos são fugazes, um fenômeno muito complexo inserido naturalmente na vida de todos nós; todos temos segredos, e é natural que as pessoas queiram ocultar algumas informações, ou desejem contá-las a umas poucas pessoas. Embora pareça haver um interesse generalizado pelo acesso a informações secretas, segredos e sigilo, esses temas não foram tão pesquisados quanto muitos outros. Foram realizados estudos bem convincentes em algumas áreas; entretanto, essa ainda é uma área relativamente pouco estudada. Além disso, há muitas conjecturas cercando esse assunto. Resumindo, há muita coisa que não sabemos sobre segredos, e muito menos ainda sobre o modo de descobri-los.[3]

As agências de espionagem sabem, há décadas, que, usando técnicas específicas de conversação em conjunto com incentivos (alguns, ilegais) e táticas de pressão psicológica, podem fazer com que as pessoas se abram e revelem coisas que não deveriam revelar. Embora nós, cidadãos que obedecemos diariamente às leis, também precisemos descobrir informações ocultas, queremos fazê-lo legalmente – e podemos. Pesquisas acadêmicas mostram que, sob as circunstâncias corretas, as pessoas compartilham informações secretas com, no mínimo, outra pessoa, e às vezes com mais de uma.[4] Isso se deve, basicamente, à tendência natural de compartilhar ou transmitir informações secretas – que é, por padrão, a atitude humana habitual.[5] Na *Parte Dois*, vamos descobrir como amplificar a tendência humana de compartilhar informações com os outros.

Algumas das razões mais comuns para as pessoas manterem informações em segredo é que não desejam ficar envergonhadas e nem serem afastadas ou rejeitadas pelos outros; não querem causar uma impressão negativa; ou não desejam magoar os sentimentos alheios. É interessante observar que as pesquisas mostraram que as pessoas que divulgam seus segredos têm uma melhora sensível na saúde.[6] Técnicas de elicitação proporcionam um meio de ajudar uma pessoa a compartilhar uma informação secreta para que ela se sinta mais apoiada.

Quer desejemos descobrir informações sigilosas para nossa empresa, para obtermos alguma vantagem pessoal ou para ajudar alguém que é detentor de um segredo muito pesado, precisamos escolher a técnica correta de elicitação e nos mantermos flexíveis ao usá-la. Para conseguirmos fazer isso com sucesso, é preciso analisar mais detidamente a teoria por trás da guarda de segredos.

O QUE É UM SEGREDO?

Parece uma pergunta simples, e a maioria das pessoas tem uma resposta, tal como eu tinha quando comecei a pesquisar por que as pessoas desejam manter informações ocultas dos demais e a maneira de descobri-las. Todavia, quanto mais eu lia, mais percebia que havia milhares de visões diferentes sobre aquilo que realmente constitui um segredo. Havia, e ainda há, muitas hipóteses nos meios acadêmicos, jurídicos e profissionais sobre o que seja um segredo.

Algumas pessoas consideram que uma informação só é secreta caso seja mantida exclusivamente por uma pessoa, sem que esta a compartilhe com outra; outros sugerem que segredo é a informação propositalmente negada a apenas uma pessoa, mas que outras podem saber. Alguns se perguntam se a informação ainda será classificada como secreta se for compartilhada com mais de uma pessoa. Nesse caso, e se a informação continuar a ser compartilhada, em que momento deixa de ser "secreta"? Quando cinco pessoas a conhecerem, ou quem sabe dez, ou mesmo cinquenta? Há até diversos precedentes legais sobre essa questão em diferentes jurisdições, realçando as suposições que cercam tal questão, aparentemente tão simples.

Surgem outras questões quando analisamos o tema de forma mais minuciosa. Alguns estudiosos sugerem que não só é possível mantermos um segredo *só* para nós mesmos, como é possível negarmos um segredo a nós mesmos. Bem, isso pode estar começando a parecer ridículo. No entanto, em 1915, Sigmund Freud sugeriu que temos três níveis de consciência. A *mente consciente*: aquela que usamos em nosso pensamento cotidiano, focalizando e processando informações; a *mente pré-consciente*: aquela que tem noção das coisas, mas na qual não estamos focados – embora possamos fazê-lo, caso assim o desejemos; e a *mente subconsciente*: aquela que age e pensa de forma independente e além de nosso controle, influenciando nossa personalidade e nosso comportamento. Pesquisas mais recentes mostraram que é possível que a mente subconsciente tenha, de fato, até mais influência sobre nosso comportamento do que o levantado por Freud.[7]

Logo, se você adotar essa linha de pensamento, com certeza é possível que uma informação seja suprimida tão profundamente na mente das pessoas que chega a ser segredo para elas mesmas. Pode ser que eu venha mantendo segredos para mim mesmo há anos – o que ajuda a explicar por que não consigo encontrar o controle remoto da TV ou as chaves do meu carro!

Agora, a sério: quando tentamos extrair informações de um paciente, um cliente, uma criança ou um cônjuge, precisamos nos lembrar de que é possível que a informação tenha sido sufocada tão profundamente que a pessoa sequer se dê conta de sua existência. Se durante a conversa você suspeita que pode ser esse o caso, tome cuidado, pois a recordação de lembranças profundamente represadas costuma ser um evento de forte carga emocional, recomendando-se apoio e orientação profissionais.

Como o foco deste livro é como obter informações secretas que podem ser benéficas a você ou a algum ente querido, não convém fazer uma análise psicológica das diversas teorias que definem o segredo. Precisamos é de uma definição prática e universal, da qual possamos nos lembrar ao desvendar esse tipo de informação. A definição mais sensata e concisa de segredo, que é aquela que adotaremos neste livro, é simplesmente "a ocultação intencional de informações relativas a 'terceiros'".[8] No que diz respeito a "terceiros", pode-se incluir entidades, como empresas, corporações, clubes e governos, bem como pessoas, como cônjuges, filhos, amigos, colegas de trabalho, desconhecidos e, o mais importante, você.

Além de compreender a definição de segredo, há duas expressões bastante usadas neste livro, vitais para a compreensão na abordagem de segredos e de elicitação. São elas:

- **Guardião do segredo**: É a pessoa ou entidade que ocultou uma informação; a pessoa ou entidade que está guardando um segredo.
- **Alvo do segredo**: É a pessoa ou entidade que, propositalmente, não está recebendo uma informação, pois é a pessoa ou entidade "alvo" do segredo, tendo uma desvantagem por não conhecê-lo. Quando uma pessoa ou entidade oculta uma informação de você, você é o alvo do segredo; e ela é a guardiã do segredo.

TIPOS DE SEGREDO

Embora não saibamos muitas coisas sobre a natureza dos segredos, diversos projetos de pesquisa foram realizados por estudiosos dignos de respeito para se compreender melhor esse assunto. O que pode nos confundir é o fato de haver milhares de interpretações diferentes das categorias de segredo e das motivações para se ocultar informações. Se quisermos extrair informações ocultas de uma pessoa, ajuda muito conhecer o tipo de segredo que ela guarda e o motivo para ocultá-lo de nós.

Devido à diversidade de interpretações, destilei todas essas informações em duas categorias prontamente identificáveis, tornando mais fácil aprender, identificar e aplicar técnicas com sucesso. As duas categorias primárias de segredos englobam aqueles focados na pessoa e os focados nos outros.

Segredos focados na pessoa

Algumas pessoas sentem uma necessidade crescente e cumulativa de manter informações em segredo ao longo da vida. Preservamos ou liberamos seletivamente informações sobre questões pessoais, profissionais, familiares e financeiras para manipular reputações ou relacionamentos, ora de forma justificada, ora não. Talvez não tenhamos um esqueleto *importante* no armário (nenhum homicídio, espero!), mas a maioria das pessoas que ler este livro vai perceber que tem uma informação oculta à qual preferiu que os outros não tivessem acesso. Isso é compreensível e normal.

Segredos focados na própria pessoa podem ser definidos como informações que são mantidas em sigilo pelo guardião do segredo, visando algum benefício pessoal. Segredos focados na pessoa são informações que, se reveladas, acarretariam um impacto prejudicial para o guardião do segredo, como vergonha, uma opinião indesejável sobre si por parte de terceiros, ou uma perda de vantagens ou de poder.

A mudança de percepção, ou a perda de vantagens, pode ser totalmente justificada, ou não. Uma pessoa pode, por exemplo, manter em segredo o fato de que, em alguma época, esteve falida. Se essa informação for revelada, pode causar vergonha e alterar, justa ou injustamente, a maneira como as outras pessoas a veem. O fato de essa informação permanecer oculta pode ser absolutamente justificável.

A menos, é claro, que estivesse planejando fazer sociedade com a pessoa ou emprestar-lhe dinheiro. Nesse caso, você teria o direito de tomar conhecimento dessa informação, pois seu desconhecimento poderia prejudicá-lo. Descobrir esse tipo de informação usando as técnicas apresentadas na *Parte Três* e *Quatro* deste livro pode ser desvantajoso para o guardião do segredo, mas protege seus interesses.

Há um número quase ilimitado de segredos focados na pessoa, abrangendo um espectro considerável de temas. A diversidade desse tipo de segredo foi destaque num estudo realizado pela Universidade de Michigan.[9] Nesse estudo, os segredos relatados vão desde aqueles de menor importância, como "Meu pai é alcoólatra" e "Nem sempre gosto de sexo...", a segredos de alto risco, como "Estou sempre pensando em me matar" e "... às vezes penso que (quero) (preciso) matar outra pessoa", ou "Tive relações incestuosas com um membro de minha família". Esses últimos exemplos demonstram como o guardião do segredo, ou outras pessoas, pode receber apoio ou proteção caso um familiar, um amigo ou um profissional de medicina tivesse acesso a essa informação oculta.

Além disso, pode ser uma informação que o guardião do segredo não queira compartilhar com outras pessoas, pois lhe é vantajoso preservar esse conhecimento – o segredo proporciona uma vantagem que seria perdida caso fosse compartilhado. Por exemplo, um estudante pode descobrir que determinada questão estará no próximo exame, ou um candidato a um emprego pode descobrir "o que os entrevistadores estão procurando", ou uma empresa pode ter acesso a uma informação "de dentro" sobre o preço que um concorrente vai apresentar na mesma concorrência pública – compartilhar essa informação seria desvantajoso; portanto, mantém-se o segredo focado na própria pessoa.

O propósito deste livro não é julgar ninguém, e nem servir de bússola moral para se saber quando usar ou não usar essas técnicas reveladoras de segredos; essa é uma questão que depende do leitor e das muitas circunstâncias diferentes nas quais podem ser aplicadas. Em algumas ocasiões, ajudar uma pessoa a divulgar um segredo focado nela mesma pode dar aos demais a oportunidade de ajudá-la, apoiá-la, protegê-la ou tratá-la, como no caso da criança que é vítima de *bullying* na escola ou que está sendo manipulada ou seguida por um predador da Internet, da vítima de violência doméstica, do viciado em drogas ou álcool etc.

Entre os exemplos de segredos focados na pessoa, temos:

- O número de acidentes automobilísticos em que a pessoa esteve envolvida.
- Um erro profissional no local de trabalho.
- Um empreendimento que fracassou.
- Uma situação familiar ou incidente pessoal socialmente desagradável.
- Um evento trágico, de rememoração dolorosa.
- Infidelidade.
- Ter sofrido maus-tratos dos pais na infância, ou do cônjuge.
- Vícios ou uso de drogas ilegais, ou de remédios, ou de álcool.
- Transtornos alimentares.
- Prisão por ter cometido um crime.
- Ser vítima de crime.
- Uma fobia, como medo agudo de voar, de agulhas, de aranhas ou de cobras.
- Situação financeira, como renda, bens, dívidas e empréstimos (as dívidas dos cartões de crédito são um segredo focado na pessoa bastante comum – às vezes, ocultado até do cônjuge!).
- Planos nos negócios e estratégias de marketing.
- Informações sobre produtos ou sobre a empresa.

Em suma, os segredos focados na pessoa são mantidos para beneficiar ou proteger o guardião do segredo, e, em muitos casos, para evitar consequências sociais negativas ou para proteger uma vantagem pessoal ou financeira. Agora, vamos tratar da segunda categoria de segredos – os segredos focados nos outros – e das importantes subcategorias de segredos focados nos outros, em áreas profissionais e pessoais.

Segredos focados nos outros

Os segredos focados nos outros, como o nome sugere, são preservados por um guardião de segredos em prol de outra pessoa ou entidade. Os segredos focados nos outros são mantidos por indivíduos e também por entidades, como empresas, organizações e governos. A diferença principal entre essa categoria e as demais é a *boa intenção*. Os segredos focados nos outros têm uma constante de "boa vontade" que permeia a motivação por trás da ocultação da informação. Esta pode visar a proteção de outra pessoa, ou de seus sentimentos, ou da empresa, ou dos negócios, ou do governo para o qual o guardião do segredo trabalha ou ao qual é leal.

A "boa vontade" associada a essa categoria de segredos encontra exemplos entre os médicos. Tendo em mente a melhora do paciente, os profissionais de medicina se veem ocasionalmente em posições muito difíceis com relação à revelação de informações médicas.

Por exemplo, um paciente pode estar recebendo tratamento para uma doença que, muito provavelmente, será terminal. Em discussões entre o profissional e o paciente, o médico pode apresentar relatos de casos em que pessoas com uma condição similar se recuperaram plenamente. Ele pode manter segredo sobre o fato de esse ser um resultado extremamente raro, e de que, em sua opinião, há muito poucas chances de sobrevivência para o paciente. Essas informações são mantidas em segredo do paciente para que este tenha esperanças, conforto e motivação para se recuperar. Este é um segredo profissional focado no outro.

Um exemplo real que demonstra tanto as dificuldades de uma equipe médica à qual se pede para guardar um segredo focado no outro, quanto as consequências trágicas de não compartilhá-lo, mesmo com a melhor das intenções, é o de uma enfermeira pediátrica da ala de pacientes com HIV/Aids que trabalhava numa clínica em Nova Jersey.[10]

A mãe de uma menina de 8 anos que tinha o vírus pediu à enfermeira para não revelar à filha (sua paciente) a natureza da infecção. A enfermeira e a assistente social estavam preocupadas com a possibilidade de a criança ouvir comentários feitos naquela ala que poderiam revelar a natureza de sua doença; por isso, tentaram convencer a mãe a contar a verdade para a filha. Querendo proteger a filha da terrível notícia, a mãe se recusou a fazê-lo e reforçou o pedido para que a menina não fosse informada. Mais tarde, quando a enfermeira estava em seu turno, a menina a chamou. A enfermeira se inclinou para poder ouvi-la, pois a menina estava muito fraca e esforçava-se para falar. "Estou muito doente", disse. "Acho que estou com Aids. Mas você precisa me prometer. Não conte para a mamãe. É um segredo, e ela ficaria muito triste se descobrisse." Nessa situação difícil, a enfermeira, a mãe e a menina sofreram sob o fardo de um segredo focado no outro.

A ideia de proteger de alguma maneira outra pessoa pode ser levada longe demais, mesmo na melhor das intenções, de modo que a guarda do segredo focado no outro significa que o alvo desse segredo (a pessoa da qual se oculta a informação visando protegê-la) torna-se vítima da boa intenção.

Algumas profissões protegem veementemente seus segredos (profissionais) focados nos outros e há um bom motivo para isso, pois sua viabilidade comercial pode depender diretamente de se manter a informação em segredo; às vezes, esses segredos são protegidos durante décadas. Por que uma empresa restringiria a um segredo a proteção de seu produto, em vez de se valer de meios legais, como marcas, patentes ou leis de propriedade intelectual? O motivo para isso é que os segredos da empresa podem ser protegidos indefinidamente com o sigilo, enquanto patentes e outros mecanismos legais costumam ter vida finita.

Em muitos países, por exemplo, as patentes perdem a proteção depois de vinte anos.[11] Se no início a Coca-Cola tivesse se valido de uma patente para proteger sua fórmula, o segredo já estaria desprotegido, e há mais de cinquenta anos estaria em domínio público.[12] Assim, a Coca--Cola protegeu com sucesso seu segredo durante décadas, embora não sem alguns desafios. A seriedade da divulgação de segredos comerciais ficou evidente para uma secretária da Coca-Cola em 2006, quando ela furtou documentos e uma amostra líquida da nova fórmula do refrige-rarnte e tentou vender os segredos para a PepsiCo. Esta entrou em contato com o Departamento Federal de Investigações (FBI), que deu início a uma investigação sigilosa, que culminou com o julgamento de três pessoas. A secretária, Joya Williams, foi condenada em 2007 a oito anos de prisão. O promotor David Nahmias afirmou que "o furto de segredos empresariais valiosos não será tolerado, nem pelo Departamento de Justiça, nem pelos concorrentes, como mostra este caso".[13]

Segredos focados no outro também ocorrem em nossa vida particular, mas ainda têm natureza altruísta. Ou seja, o guardião do segredo vai proteger o alvo do segredo (a pessoa da qual se oculta a informação) mesmo durante anos, mantendo o que sabe em sigilo, pura e simplesmente, por ter boa intenção e boa vontade. Como exemplo, temos o caso de um casal que chegou à conclusão de que não tem mais compatibilidade e deveria se separar, mas continua junto em benefício dos filhos.

Há muitos exemplos mais leves, nos quais o segredo focado no outro tem vida curta, como os planos para uma festa de aniversário surpresa ou segredos que envolvam a compra e a ocultação de presentes. Se você é uma criança – pare de ler agora! Não há no mundo maior segredo focado no outro do que a existência do Papai Noel, que é mais popular do que o Coelho da Páscoa – personagem do segundo maior segredo focado no outro. Se você é uma criança e ainda está lendo este livro, agora você conhece alguns dos maiores segredos do mundo. Se você mantiver em segredo essa informação, para não estragar a magia para as outras crianças, então estará mantendo um segredo focado no outro.

Entre os exemplos de segredos focados nos outros, temos:

- Pais que guardam do filho o segredo de que ele foi um "acidente".
- Um amigo lhe passa uma informação sigilosa que, se revelada, seria prejudicial a ele; você guarda em segredo a informação para proteger seu amigo.
- Festas, presentes e premiações "surpresa".
- O preço de um presente, para não envergonhar ou não deixar o presenteado pouco à vontade.
- As atividades perigosas que militares e policiais mantêm em segredo de suas famílias, para não preocupá-las.
- Listas de clientes e de fregueses; por exemplo, o comerciante guarda sigilo sobre detalhes pessoais, para protegê-los.
- Resultados de pesquisas sobre produtos; por exemplo, informações mantidas em segredo pelos pesquisadores, em benefício da empresa que promoveu a pesquisa.
- Informações trocadas entre médico e paciente, e entre advogado e cliente.
- Informantes policiais e fontes confidenciais; por exemplo, policiais que protegem a identidade de um informante, para garantir sua segurança.
- Na mídia: o jornalista que protege sua fonte de informações, garantindo o anonimato.

A FUNÇÃO DA OCULTAÇÃO DE INFORMAÇÕES

Dependendo de sua profissão, de sua situação familiar e das circunstâncias, você pode ter de obter informações de diversos tipos de pessoa, desde crianças até adultos. As técnicas de elicitação que funcionam com crianças não funcionam com adultos, e vice-versa. Logo, para que você possa obter esse tipo de informação, independentemente da idade do guardião do segredo, é importante compreender claramente os diversos papéis desempenhados pelos segredos, durante os diferentes estágios de vida das pessoas.

Segredos da infância

Embora o desenvolvimento infantil seja um processo contínuo, há dois estágios de desenvolvimento muito importantes na infância, que merecem exame com relação a segredos. O primeiro estágio ocorre antes que a criança chegue aos 12 anos de idade, e tem dois marcos importantes. O segundo estágio ocorre durante a adolescência. Esses dois estágios auxiliam na "individualização" da criança. É a fase em que a criança começa a estabelecer um limite entre ela e os outros; começa a se desenvolver como pessoa, como indivíduo mais independente.

O primeiro marco do primeiro estágio ocorre cedo, e geralmente se completa quando a criança chega a uma faixa entre 3 e 5 anos de idade.[14] Poder entender e, até certo ponto, guardar um segredo demonstra que a criança atingiu esse estágio.[15] Com certeza, quando ela chega aos 5 anos, já entende claramente o que é segredo.[16] Nesse estágio, ela começa a aprender que pode possuir conhecimentos que outras pessoas não têm, e por isso pode manipular a mente de outra pessoa ou o conhecimento dos fatos.[17] Ela aprende a mentir e aprende a guardar segredos.

Nesse estágio inicial, porém, as crianças não são muito hábeis nessas duas coisas. Não são muitas as crianças de 4 anos que conseguem sustentar uma mentira ou guardar eficientemente um segredo de seus pais por muito tempo. Antes de começarmos a apontar o dedo para elas, achando que todas as crianças são "pequenas guardiãs de segredo mentirosas", devemos nos lembrar de que este é um marco no desenvolvimento pelo qual todos nós passamos e que permitiu que crescêssemos e nos tornássemos quem somos.

Bem, e que tipo de segredo crianças tão pequenas poderiam guardar, e por quê? Um estudo feito com 180 estudantes de três séries diferentes (3ª, 5ª e 7ª séries) foi idealizado para proporcionar um retrato do modo como as crianças e a guarda de segredos mudam ao longo de seu desenvolvimento na infância.[18] O estudo mostrou que, à medida que as crianças vão ficando mais velhas, tendem a começar a guardar segredos para evitar vexames ou castigos, enquanto as mais novas tendem a guardar segredos sobre seus bens. Isso mostra que as crianças desenvolvem percepção social e compreendem as consequências sobre seus relacionamentos, caso revelassem informações secretas. Em termos mais simples, as crianças mais novas focam a posse de objetos e bens, e vão guardar segredos para obter e proteger essas coisas. Podemos ver isso quando uma criança mais nova demonstra dificuldade ou reclama (geralmente, em altos brados!) por ter de dividir seus brinquedos ou bens com outras crianças.

Quando uma criança atinge a idade de 8 a 12 anos, geralmente já demonstra que compreende bem as expectativas da sociedade e das outras pessoas (basicamente, seus pais e amigos). Assim, vai manter em segredo informações que podem fazê-la parecer inaceitável, causar-lhe vergonha ou resultar em punições. Nesse período, na maioria das vezes, terá amigos do mesmo sexo. Geralmente, são os relacionamentos sociais dominantes para crianças dessa idade. Volta e meia, não gostam do "outro" sexo, que pode ser desprezado e às vezes alvo de provocação pelo colega, como "Vocês são frescas", "Vocês são brutos" etc.

Numa reviravolta aparentemente cruel do destino, mais ou menos nessa época, a maioria das crianças vai começar a ter curiosidade sobre o "sexo inimigo", chegando até a ter suas paixões. Podem até manter um relacionamento "secreto", trocando bilhetes, *e-mails* ou conversas após as aulas (naturalmente). Entretanto, a criança mantém essa informação em segredo por medo de se envergonhar ou de ser considerada "traidora" pelos amigos; agora, ela desenvolveu a percepção social da natureza das informações que precisam ser guardadas em segredo, para que possa manter seus relacionamentos. Algumas crianças podem dar a seus pais o acesso a essas informações, ou podem até mesmo pedir conselhos, mas isso nem sempre acontece, por medo de se envergonhar, de ser julgada prematuramente ou de ser punida. Normalmente, porém, devem ser mantidas em segredo dos amigos e de outras pessoas.

Paixonite e relacionamentos infantis com o sexo oposto, quando descobertos, podem terminar rapidamente depois que alguém grita no recreio "Geoffrey tem namorada" ou "Kerry e Sue vão se casar". Geralmente, isso termina numa negação generalizada por parte das crianças envolvidas e, às vezes (infelizmente), o fim do relacionamento dá-se após essas provocações. O segredo foi revelado, e a vergonha e a rejeição social são uma carga muito pesada.

Em suma, há um momento de desenvolvimento significativo assinalado pela capacidade de compreender e de guardar segredos, que costuma acontecer entre os 3 e os 5 anos. Segredos que começam nessa idade se concentram principalmente na obtenção e na proteção de bens, mas não há muita noção das consequências sociais caso o segredo seja revelado. Nos anos seguintes, os segredos das crianças mudam de foco e se concentram mais nas expectativas e nos relacionamentos sociais; elas ocultam informações ou comportamentos que podem ser vistos como inaceitáveis ou vergonhosos, ou que resultem em castigos.

Segredos da adolescência

O segundo estágio de "individualização" ocorre durante a adolescência, quando a criança rompe com os vínculos da infância e se encaminha para a idade adulta.[19] Nesse estágio da vida, ela se torna menos dependente dos pais e começa a se apoiar mais em amigos e na rede social.

Isso não significa que os pais deixem de ser importantes, mas que os adolescentes se tornam mais independentes em termos emocionais. É na adolescência que eles percebem que os pais não sabem tudo, e questionam isso – pergunte a quem tem filhos que já passaram pela adolescência, pois vão concordar integralmente! Agora, estão cada vez mais dispostos a guardar segredos dos pais, sendo ainda mais capazes de fazê-lo, como forma de confirmar sua independência emocional.

Eles também passam a mentir e a esconder informações com eficácia, não apenas dos pais, como dos outros.[20] Aprendem a manipular informações para que se adaptem a seus propósitos. Revelam algumas coisas, ocultam outras e podem até inventar histórias para manipular a forma como são vistos ou percebidos pelos outros. A análise de qualquer relato de adolescente no Facebook demonstra isso com clareza. Só as informações (inclusive fotos) com as quais eles querem moldar a percepção dos outros são reveladas pelos *sites* das redes sociais; o resto é mantido em segredo.

Agora podemos apontar o dedo acusatório aos *pequenos guardiões de segredos mentirosos*! Mas será que devemos fazê-lo? Será que isso indica algo que os adultos também fazem? Muitos adultos (sinceros) confessariam que, ocasionalmente, mantiveram uma informação em segredo, liberando outras, a fim de manipular a forma como os demais os viam. Pode ter sido num primeiro encontro, numa entrevista de emprego, numa festa, numa conferência, com outros pais ou até com irmãos – é uma prática humana normal e compreensível.

Embora guardar segredos dos pais possa ser uma parte necessária e natural do desenvolvimento dos adolescentes, será que isso é saudável? Deve ser estimulado? Um amplo estudo sobre as vantagens e desvantagens de se guardar segredos dos pais,[21] foi realizado com quase 1.200 jovens adolescentes. Os resultados mostraram a dura realidade do perigo e dos danos que podem ocorrer quando segredos, às vezes em excesso, são guardados dos pais. Esse estudo revelou que os segredos que os adolescentes guardam (dos pais) estariam associados a desvantagens psicológicas que levam à baixa autoestima, a depressões e a níveis elevados de estresse. Além disso, levam a níveis mais elevados de agressividade e de delinquência.

Para os adolescentes, o fardo psicológico de se guardar segredos sérios ou em grande número pode ter um ônus mental e físico. Embora guardar segredos possa ajudar no desenvolvimento da independência emocional, essa independência pode ser estabelecida numa fase muito precoce da adolescência, fazendo com que a criança acabe lidando com relacionamentos e problemas adultos, do "mundo real", sem apoio e conselhos adultos. Isso pode ser nocivo para o adolescente, que, em consequência, pode ficar cada vez mais isolado. Para os pais, esses fatores de risco demonstram claramente o valor de poderem ter acesso a algumas das informações secretas guardadas por seus filhos adolescentes. As técnicas de elicitação apresentadas neste livro devem ajudá-lo a conseguir tal acesso durante conversas com seu filho, sem parecer intrometido.

Segredos adultos

Até agora, percebemos como os segredos desempenham seu papel em nossa vida à medida que nos desenvolvemos. Vimos que, na infância e na adolescência, o segredo é uma parte normal do desenvolvimento. No entanto, também vimos que ele pode ter um impacto oneroso e negativo sobre crianças e adolescentes. Felizmente, ao chegarmos à vida adulta, estamos mais desenvolvidos e bem mais capacitados e flexíveis diante dos impactos negativos dos segredos – certo? Errado! O que descobrimos é que consequências similarmente prejudiciais passam da adolescência para a vida adulta.

O que os adultos mantêm em segredo? Diversos estudos foram realizados para descobrir se existe um assunto ou tema específico em torno dos segredos adultos. A maior parte das pesquisas mostra que os segredos relacionados ao sexo são os mais comuns, seguidos de segredos relacionados com fracassos, inclusive informações que podem retratar ou revelar doenças mentais.[22] Segredos relacionados ao sexo incluem não apenas eventos diretamente ligados ao ato sexual em si, mas também atividades correlatas, como fantasias sexuais, desajustes sexuais aparentes ou reais, doenças sexuais, filhos ilegítimos e aborto. Alguns exemplos significativos de segredos relacionados ao sexo apresentados voluntariamente durante a pesquisa incluem:

- "Estou com minha esposa há catorze anos e temos filhos. Nunca disse a ela que gosto de me vestir de mulher."
- "Sou casada e mantenho um relacionamento impróprio (embora sem sexo) com um padre católico."[23]
- "Estou casado e feliz há doze anos – mas, há alguns anos, tive um caso de uma noite. Lamento por esse meu deslize, mas é um segredo e uma vergonha que terei de levar comigo pelo resto da vida."

Segredos relacionados com fracasso incluem a auto-observação relacionada a diversas áreas, como finanças, espiritualidade, questões físicas, sociais e intelectuais.[24] Recentemente, foi feita uma pesquisa sobre segredos relacionados com o fracasso, especificamente com o fumo durante a gravidez. Nesse estudo, 34% das mulheres entrevistadas que disseram que não fumaram ativamente (durante a gravidez) tiveram seu segredo – o de terem efetivamente fumado – revelado em exames de urina.[25] Essas mulheres tentaram ocultar tal informação devido à vergonha e/ou ao modo como os outros poderiam julgá-las caso seu segredo (o de fumarem durante a gravidez) fosse revelado. Outros exemplos de segredos relacionados ao fracasso incluem:

- "Minha família acha que vou regularmente à igreja, mas já faz mais de um ano que não a frequento."

- "Tenho um carro de luxo e uso roupas caras – pareço bem-sucedido, mas o meu cartão de crédito está estourado. Na verdade, sou um fracasso financeiro, mas ninguém sabe disso, só o meu banco."
- "Tenho um cargo de gerente sênior e supervisiono muitas pessoas com mais diplomas e uma educação mais esmerada do que a minha – todos pensam que fiz uma faculdade (ou mais), mas na verdade sequer concluí o ensino médio."

O disfarce é outro segredo muito relatado por adultos. Diz respeito ao ato de mascarar a verdade para mantê-la em segredo, valendo-se de uma fachada falsa. Entre os exemplos de disfarce entre adultos, temos:

- "Sou muito tímido, mas disfarço para ninguém perceber."
- "Sou muito instável e inseguro, mas escondo bem isso e as pessoas me procuram com seus problemas, esperando que eu possa ajudá-las porque me consideram íntegro. Não me sinto competente para ajudá-las, mas, se eu lhes dissesse isso, minha máscara cairia por terra e poderia assustá-las permanentemente."[26]
- "Sofro de depressão profunda, mas no trabalho mantenho uma aparência feliz, conto piadas e provavelmente compenso demais para esconder o que sinto. Ninguém tem ideia de como eu realmente me sinto."

Fica claro que a ocultação de segredos é uma parte normal do desenvolvimento humano, embora o foco de nossos segredos mude à medida que envelhecemos. Guardar segredos em excesso ou segredos graves pode representar um fardo mental e ser prejudicial para crianças pequenas, para adolescentes ou até para adultos. Em breve, você poderá usar técnicas de elicitação para ajudar alguém que esteja escondendo informações importantes e prejudiciais.

Segredos de família

Nesta seção, vamos examinar segredos de família e seus efeitos sobre as próprias famílias. Talvez fosse de se esperar que a comunicação de segredos familiares variasse conforme a configuração da família, ou seja, tradicional (pai e mãe), pais solteiros, famílias mistas (adotivas, novos casamentos etc.). Contudo, as pesquisas mostraram que, independentemente da configuração familiar, todas são semelhantes com relação ao número de segredos guardados, aos assuntos dos segredos e à função ou finalidade dos segredos dentro de uma família.[27] Alguns resultados da pesquisa indicam que até 99% dos membros de uma família guardam pelo menos um segredo de um ou mais parentes.[28] Essa forma de guardar segredos é, na verdade, muito comum – quase todos nós não compartilhamos tudo com os outros parentes, principalmente por motivos como privacidade, aceitação e independência.

A maioria das famílias tem piadas e histórias que são mantidas exclusivamente dentro dela; isso ajuda a fortalecer a identidade e a proximidade de seus membros.[29] São assuntos corriqueiros de família, mas podem incluir coisas desagradáveis, como não poder pagar as próximas férias, a perda do emprego, a morte de um avô. Não são rotulados como "segredos de família", e não são questões discutidas entre os pais fora do alcance das crianças, como parte do processo normal de educação dos filhos. Esse tipo de sigilo é normal em famílias comuns.

Então, o que é um "segredo de família"? Os segredos do tipo "segredo de família" lidam com questões além daquelas tratadas no cotidiano. Exemplos daquilo que uma família pode considerar como "segredos de família" incluem:

- Um dos progenitores viciado em remédios, bebidas alcoólicas ou drogas ilícitas.
- Um incidente trágico.

- Uma condição ou incapacidade mental.
- Aborto.
- Adoção.
- Incesto.
- HIV/Aids.
- Relacionamentos com pessoas do mesmo sexo.
- Pedofilia.
- Transtornos alimentares.
- Maus-tratos contra filhos ou cônjuge.

Segredo de família é um segredo profundo que une psicologicamente um ou mais membros da família, que decidem nunca falar dele fora do lar, ou às vezes até dentro dele. Cada família lida com o mesmo tipo de incidente ou de informação de maneira diferente; uma trata-o com comunicação aberta e apoio externo, outra tentando enterrar a informação como um segredo de família. Às vezes, tais segredos só são conhecidos por alguns familiares; outros membros são isolados e deixados de fora do círculo de informações.

Algumas famílias criam regras severas sobre o sigilo de seus segredos, e outras simplesmente as seguem por lealdade ou por conta da culpa que sua revelação acarretaria, além da vergonha e de problemas adicionais para a família. Seja como for, implícitas ou declaradas, essas regras podem impedir que membros da família procurem a ajuda e o apoio de outras pessoas, além de inibirem a intervenção de profissionais das áreas médica, social, legal ou policial. A elicitação, feita corretamente por familiares, parentes distantes ou profissionais, pode auxiliar as pessoas afetadas a falarem da informação oculta, ajudando a lidar com o segredo de família.

Como os segredos de família podem intoxicar

O caso relatado a seguir revela como um segredo de família pode ser impositivo, demonstrando como pode ser prejudicial para a geração seguinte, caso não seja administrado corretamente.[30]

Uma família tinha dois filhos de idades similares, John e Peter (nomes alterados). John desenvolveu-se de maneira bastante normal. Peter era homossexual e começou a se interessar sexualmente por garotos mais novos ao atingir a adolescência.[31] Entre os 15 e os 18 anos, Peter assediou vários garotinhos, o que resultou em reclamações feitas a seus pais em mais de uma ocasião. Por motivos desconhecidos, esse fato não teve a interferência da polícia, e nenhuma providência foi tomada. O pai de John (um advogado proeminente) e a mãe nunca discutiram essas reclamações com as autoridades ou no seio da família. Embora John estivesse bem a par desses incidentes e achasse que o que Peter fazia era errado, sentiu também a obrigação de tratar do caso como um segredo – assim como seus pais estavam fazendo. John achava que havia uma "expectativa familiar obrigatória e silenciosa" de que ninguém falasse sobre a "condição" de Peter.

Anos depois, John se casou e teve um filho. Como é da natureza dos segredos de família, John manteve a pedofilia de seu irmão em segredo de sua esposa. Em várias ocasiões, John e a esposa deixaram Peter cuidando do sobrinho, enquanto saíam ou viajavam. Inevitavelmente, o filho de John acabou sendo molestado por Peter e o incidente foi descoberto. Então, John revelou o segredo da família (o fato de Peter ser pedófilo) à esposa, que, compreensivelmente, ficou chocada e furiosa por não ter sido informada sobre um assunto tão grave, que poderia pôr em risco a proteção de seu filho. O casamento terminou pouco depois desse incidente.

Esse exemplo demonstra que o mais abjeto dos segredos de família pode criar um vínculo de sigilo de força considerável, estendendo-se para além da confiança do casamento e chegando a ameaçar o próprio filho do guardião do segredo. Os segredos de família podem ser perversos e nocivos, além de lançarem sobre os membros das famílias um fardo, obrigando-os a levar o segredo adiante e sentindo-se proibidos de falar sobre ele (tal como no caso de John), ou sendo isolados dos outros membros da família por não conhecerem o segredo.

Se aplicadas corretamente, as técnicas mostradas na *Parte Três* e *Quatro* podem ajudar muito a lidar com pessoas que vivem isoladas sob o pesado fardo de um segredo de família.

Segredos no local de trabalho

Nesta seção, vamos nos concentrar nas áreas de segredos no local de trabalho. Primeiro, vamos entender as razões para que empresas e gestores guardem segredos, e, em segundo lugar, as razões para que clientes e pacientes guardem segredos das pessoas que estão tentando ajudá-los.

Compreender o que motiva um cliente ou paciente a guardar segredo de você, cujo foco está em representá-lo ou apoiá-lo, vai ajudar você a aplicar, com eficiência, táticas de elicitação para descobrir essa informação, com a qual poderá proporcionar um serviço mais adequado.

Analogamente, se você suspeita daquilo que a gerência lhe diz, compreender o motivo que a leva a guardar segredos de você pode ajudá-lo a descobrir essa informação, permitindo-lhe proteger melhor seus interesses e até seu emprego!

Segredos empresariais e gerenciais

No século XXI, os negócios baseiam-se em informações muito sensíveis, como progressos em áreas como tecnologia, *software*, *design* sofisticado e inovação. Conquista-se rapidamente uma vantagem competitiva ao se descobrir uma informação sigilosa do concorrente. Por isso, logicamente, as empresas procuram proteger informações como listas de clientes, planos de negócio, métodos operacionais e informações sobre funcionários que, para outra empresa, teriam um valor comercial inestimável. Tanto no setor público quanto no privado, é um grande negócio proteger segredos e descobrir os segredos dos outros.

Compreensivelmente, é ilegal furtar informações como essas. Protegendo-se contra furtos e a disseminação ilegal por parte de funcionários, a maior parte das empresas adotou medidas avançadas de proteção da Internet, de rastreamento de documentos e de auditoria de *e-mails*, para fazer com que qualquer informação obtida ilegalmente e revelada a terceiros possa ser associada a um empregado específico. Isto é imperativo, pois, geralmente, as informações mais valiosas de uma empresa estão numa base de dados e podem ser furtadas ou transmitidas com poucos cliques do *mouse*.

Para se proteger ainda mais, as empresas usam estratégias adicionais, como mensagens de segurança ao se fazer o *login* na rede, lembrando a equipe da necessidade de manter informações sensíveis dentro da empresa, pondo em prática o princípio da "necessidade de saber", e fazendo com que os empregados assinem acordos de confidencialidade. Será que isso já é suficiente? Sabemos que, se uma pessoa "vaza" informações confidenciais, é possível mover uma ação civil contra ela, com sucesso. Entretanto, em muitos casos, o valor da indenização é insignificante diante da publicação do segredo da empresa, pois, legalmente, quando isso ocorre, ele deixa para sempre de ser um "segredo", e outras pessoas podem usar a informação à vontade. Quando isso acontece, é raro a empresa recuperar sua vantagem competitiva.

Algumas empresas avançadas ensinam a seus funcionários técnicas básicas de combate à elicitação, permitindo-lhes descobrir quando estão sendo alvo sub-reptício dessa técnica. Isso vem se tornando a cada dia mais necessário, pois as empresas estão, cada vez mais, recorrendo à elicitação para descobrir informações sensíveis dos concorrentes. O motivo para isso é que o furto de dados e de outras informações comerciais sensíveis através da tecnologia, ou mediante o suborno de um funcionário do concorrente, pode configurar crime. Todavia, se uma empresa usa estratégicas de elicitação que fazem com que um empregado de outra empresa compartilhe informações sensíveis, voluntária e verbalmente, isso pode ser considerado simplesmente um erro de avaliação por parte do empregado.[32]

Haverá sempre, no núcleo da maioria das empresas, um pequeno e confiável grupo de gestores mais antigos. Esse pequeno "círculo interno" mantém os segredos mais sensíveis e importantes da empresa. Se você precisa obter informações sobre uma empresa ou organização, os alvos das técnicas de elicitação devem ser os membros desse grupo. Alguns acham que os membros desses grupos são impermeáveis a elicitações. No entanto, como mostro na *Parte Três* deste livro, sob o título "Lançando a Linha de Elicitação", há algumas estratégias às quais os gestores mais antigos se mostram particularmente vulneráveis.

Um dos segredos de planejamento mais sensíveis da "elite de informação" da organização tem vários nomes, como "reengenharia da força de trabalho", "realinhamento organizacional (ou funcional)", "análise de eficiência", "reestruturação" e "avaliação voluntária de redundância" (ocasionalmente seguida por revisões involuntárias!). Na maioria dos casos, independentemente de qual seja a expressão que esteja na moda entre os empresários, isso pode redundar em demissões. Não são processos ocasionados por impulsos de última hora, e geralmente são fruto de muito trabalho, realizado a portas fechadas pelo grupo do "círculo interno", durante algumas semanas, antes de se comunicar as pessoas mais afetadas pelas mudanças. Os executivos mais antigos fazem o que podem para manter esse processo em segredo pelo período mais longo possível.

Há várias razões para isso. Primeiro porque, quando membros de uma equipe de trabalho descobrem que existe a possibilidade de perderem o emprego, logicamente começam a procurar outros lugares para trabalhar, e geralmente são os funcionários mais talentosos que vão encontrar primeiro uma nova colocação, deixando os empregados com pior desempenho na empresa. Segundo porque, às vezes os executivos mais antigos consideram a possibilidade do risco de sabotagem na empresa, caso o plano secreto de demissão ganhe os corredores. Empregados insatisfeitos, se tiverem a chance, podem interferir no funcionamento adequado da empresa ou sentir a necessidade de se vingar.

Se uma pesquisa realizada no Reino Unido serve de indicador, esses receios são bem fundamentados. Essa pesquisa revelou que 88% dos administradores de TI declararam que furtariam segredos de empresas, inclusive senhas de CEOs, planos de pesquisa e desenvolvimento e informações de bancos de dados de clientes, caso fossem dispensados.[33] Logo, é compreensível o nervosismo dos executivos mais antigos com relação ao vazamento de planos de cortes de funcionários.

Do lado positivo, como geralmente esses processos levam semanas até que se faça algum anúncio, você tem uma boa oportunidade para usar suas técnicas recém-adquiridas para ter acesso a essa informação secreta, podendo proteger a si mesmo e a seu emprego. O prevenido vale por dois!

Nos negócios, a elicitação, bem como a maioria das técnicas sigilosas, atua numa zona cinzenta. Como mencionei antes, o propósito deste livro não é auxiliar comportamentos criminosos e nem proporcionar orientação ética sobre quando usar essas técnicas de extração de segredos; isso cabe ao leitor e às diversas circunstâncias nas quais essas técnicas podem ser aplicadas. Contudo, se for crucial descobrir (legalmente) alguma informação sensível de outra empresa, a elicitação pode ser considerada uma opção empresarial viável.

Clientes que guardam segredos

Se você é médico, advogado, psicólogo, conselheiro ou profissional de áreas semelhantes, provavelmente espera contar com a confiança de seus clientes e com a hipótese de que eles não vão esconder segredos de você. Afinal, seu trabalho consiste em ajudá-los, certo? Eles sabem que você tem o compromisso ético – e, em alguns casos, legal – de manter em segredo suas informações, e você se esforça por manter um diálogo aberto com os clientes, para poder representar seus interesses ou tratá--los da melhor maneira possível. Por isso, é lógico que eles não mentiriam para você, não é mesmo?

Se você tivesse lido meu livro *Como Identificar um Mentiroso*, já teria detectado que muitos de seus clientes mentem, e, com isso, guardam segredos de você. Isso é confirmado por diversos estudos e pesquisas. Num estudo, revelou-se que quase 50% dos pacientes que fazem terapia há muito tempo guardam segredos de seus terapeutas.[34] Em outro estudo, este confidencial, que garantia por escrito aos participantes que os resultados não seriam revelados, pais e adolescentes mantiveram consistentemente em segredo o uso de drogas, que depois foi confirmado pela análise de amostras de fios de cabelo.[35] Se nos lembrarmos de que os participantes receberam a garantia por escrito de que as declarações seriam confidenciais, é de se perguntar: com que grau de honestidade clientes e pacientes se comportam na ausência de uma garantia por escrito?

Pode ser que o resultado tenha sido elevado porque o assunto envolvia um comportamento criminoso. Todavia, falamos antes de um resultado similar, no qual 34% das mulheres entrevistadas declararam que não fumaram durante a gravidez e tiveram seu segredo (o fato de *terem* fumado) revelado através de exames de urina.[36] Isso indica que clientes e pacientes não guardam segredos apenas quando o assunto tem natureza criminosa. Mas, por que os clientes ocultam informações das pessoas que estão tentando ajudá-los?

Anita Kelly estudou diversos pacientes que mantinham segredos de seus terapeutas. Descobriu que mais da metade deles tinha medo de expressar seus sentimentos, sentia vergonha do segredo ou não queria que o terapeuta soubesse que não estava tendo progresso.[37] Essas descobertas mostram-se relevantes se você considerar que, apesar de um profissional qualificado estar tentando manter um relacionamento aberto e honesto, existe um diferencial de poder. Isso talvez faça com que alguns clientes sintam que, de algum modo, serão julgados moral ou eticamente pelo profissional.

Um exemplo disso é o caso do cliente de um advogado de defesa que guarda em segredo o fato de ter sido condenado criminalmente antes para parecer uma pessoa mais "digna", ou para evitar um constrangimento ou para não se sentir envergonhado. Analogamente, 13% dos pacientes que fumam guardam segredo do fato diante de seus médicos.[38] Dentre aqueles que guardam segredo do fato de fumarem, dois terços o fazem para não serem julgados e para não ouvirem sermões sobre esse hábito. Em ambos os casos, os pacientes sabiam que a informação seria confidencial e que a informação secreta não era ilegal. É importante lembrar que, nos dois casos, o paciente teria recebido uma assistência melhor caso tivesse sido franco, mas preferiu guardar segredo sobre a informação.

Como um profissional pode ajudar, tratar, apoiar ou representar os interesses de um cliente ou paciente se este guarda segredos dele? A resposta simples é que eles não podem. Se você está numa posição similar, tentando descobrir informações ocultadas por um cliente ou paciente, é imperativo mostrar claramente para a pessoa que a informação é privilegiada e que a lei impede sua divulgação; além disso, a pessoa não será julgada e nem receberá sermões sobre qualquer aspecto da informação revelada, será apenas apoiada ou tratada. Isso deve aliviar a principal razão para que clientes e pacientes ocultem informações. Além disso, o uso das estratégias de elicitação mostradas na *Parte Três* e *Quatro* ajudará o cliente/paciente a revelar todas as suas informações ocultas, recebendo apoio mais adequado por conta disso.

O EFEITO E A INFLUÊNCIA DOS SEGREDOS

Atrações secretas, relacionamentos secretos e ursos brancos

Um dos motivos pelo qual eu quis discutir este aspecto das informações ocultas é que a atração que surge a partir de relacionamentos secretos pode ser usada como um importante componente das linhas de elicitação apresentadas mais adiante neste livro. A percepção desse fenômeno pode ajudar a formar, em muito pouco tempo, um vínculo com outras pessoas, aprimorando relacionamentos pessoais e profissionais já existentes.

Antes de discutirmos esse assunto, porém, acredito que seja útil compreender o que é e o que não é um relacionamento secreto. Um relacionamento secreto pode significar segredos *dentro* de um relacionamento, mas também segredo *do* relacionamento em si; um relacionamento que é mantido em segredo dos outros. Um exemplo é o de uma executiva de alto escalão que tem um caso com seu assistente pessoal. Abertamente, diante dos demais colegas de trabalho, seu relacionamento é profissional e platônico. Todavia, secretamente, eles têm um relacionamento sexual. A equipe do escritório não sabe disso. Nessa situação, a equipe fica alheia aos fatos simplesmente por ignorância. Este relacionamento secreto está sendo *propositalmente* idealizado para ficar oculto dos demais. É um relacionamento que, se revelado, seria nocivo, ofensivo ou magoaria os outros, chegando até a prejudicar uma das pessoas, ou ambas.

Do mesmo modo, pode existir um relacionamento secreto entre dois empregados de empresas concorrentes. Devido à sua amizade, podem compartilhar informações privilegiadas de suas empresas. Nenhuma das empresas aprovaria isso; portanto, eles mantêm o relacionamento em segredo.

Um relacionamento secreto pode ser ainda uma relação de "mão única", como uma paixão secreta por outra pessoa. Pode tanto ser uma afeição secreta e inocente, ou uma fantasia alimentada por outra pessoa que nem suspeita disso (como uma estrela de cinema, ou uma pessoa com quem o apaixonado trabalha ou interage), mas também pode se referir a relacionamentos mais sinistros, envolvendo assédio.

O indicador mais forte de um relacionamento secreto é o fato de que um dos envolvidos, ou ambos, mentiriam para proteger a existência dele. Para fins deste livro, vamos usar esta descrição simples: "Relacionamento secreto é aquele que se dá entre duas pessoas e do qual uma delas (ou ambas) mantém segredo, ou ocultam informações secretas compartilhadas nele".

Embora a dinâmica e o efeito do sigilo nos relacionamentos seja uma área complexa da psicologia, e ainda haja muita coisa a se aprender quanto a isso, fica claro, com as pesquisas, que o sigilo aumenta a atração. Resumindo, os envolvidos em relacionamentos secretos têm sentimento de atração amplificado, às vezes até de forma desproporcional.

Isso ficou demonstrado num estudo no qual dois grupos de pessoas observaram uma pessoa do sexo oposto, seguindo-a continuamente.[39] A um grupo foi dito que não precisava manter a vigilância em segredo, pois a pessoa sendo seguida sabia dessa atividade. Ao outro grupo foi dito que deveria vigiar discretamente, pois a pessoa que estava sendo seguida não sabia da vigilância. Os resultados desse estudo mostraram que aqueles que seguiam a pessoa em segredo ficavam mais atraídos por ela do que aqueles que realizavam a vigilância abertamente.

Esse fenômeno também ocorre em operações de vigilância realizadas por policiais. Houve uma investigação sobre um grupo do crime organizado na Austrália, suspeito de importar cocaína, LSD e pseudoefedrina. A quadrilha era sofisticada e muito tenaz na ocultação de suas atividades; por isso, uma operação de vigilância, que durou mais de doze meses, concentrou-se nela.

Durante essa fase da investigação, os agentes disfarçados interceptaram legalmente conversas e telefonemas, seguiram, fotografaram e filmaram os principais suspeitos. Durante operações de vigilância em tempo integral como essa, os agentes de vigilância tornam-se, na verdade, *voyeurs* de quase todos os aspectos da vida dos suspeitos. Nessa operação em particular, esse fato afetou psicologicamente uma das agentes, que ficou obcecada e se sentiu atraída por um membro do sindicato do crime. Isso a levou a manter um relacionamento físico com o suspeito. Claro que foi uma atitude muito imprópria e perigosa, mas é uma boa demonstração do imenso e influente magnetismo que pode se manifestar num relacionamento secreto.

Os relacionamentos secretos nem sempre incluem a atração física. Podem se restringir a uma atração emocional e psicológica por outra pessoa. Como veremos adiante, é mais comum o guardião do segredo contá-lo a uma pessoa de quem ele "goste". Podemos usar a natureza dos relacionamentos secretos para aumentar nossa atratividade para os outros, fazendo com que "gostem" de nós. Essas estratégias funcionam num namoro ou casamento, no trabalho, e, acima de tudo, quando extraímos informações ocultas.

Vejamos, por exemplo, o caso de uma pessoa que deseja obter informações privilegiadas sobre uma empresa concorrente. Ela aborda um funcionário dessa empresa. Em dado momento da conversa, ela afirma falsamente: "Cá entre nós, nossas vendas caíram 34%. Ninguém está comentando, mas acho que teremos problemas sérios se as coisas não mudarem. Mas não conte a ninguém que eu disse isso, por favor. Sua empresa está indo bem, não está?". Se o funcionário responder com alguma informação "privilegiada" similar, há um relacionamento secreto sendo criado – e, se alguém perguntar, os dois vão negar a existência desse relacionamento.

As pesquisas mostram que o conteúdo e a natureza da informação ou da atividade não são muito importantes; o compartilhar segredos, mais do que o segredo em si, é que gera intimidade.[40] Daniel Wenger, que realizou diversas pesquisas sobre relacionamentos secretos, resume da melhor maneira a atração nesses relacionamentos: "O segredo parece formar um vínculo social de força considerável, que pode servir de base para a atração de um indivíduo e para sua preocupação com um parceiro".[41] É claro que os relacionamentos secretos criam uma proximidade entre estranhos que não teria surgido caso o sigilo não fosse um ingrediente do relacionamento. No entanto, a obsessão também pode ser um subproduto dos relacionamentos secretos.

Para ter acesso ao segredo de alguém, podemos tentar usar, propositalmente, a natureza dos relacionamentos secretos a nosso favor, compartilhando um segredo para aumentar a simpatia que o guardião do segredo sente por nós, e estimular nele a compulsão de revelar seu próprio segredo. Contudo, precisamos moderar isso, pois não queremos nos tornar um objeto de obsessão do guardião do segredo. Se quiser uma demonstração rápida do motivo, assista ao filme *Atração Fatal*!

Uma história do folclore russo pode nos ajudar a compreender o estranho subproduto obsessivo dos relacionamentos secretos. A história russa fala de um homem que instrui seu irmão caçula a se sentar num canto da sala e a não pensar em ursos brancos.[42] Quanto mais o irmão tenta reprimir pensamentos com ursos brancos, mais pensa neles. Isso chega a um ponto no qual ele não consegue fazer quase nada, exceto pensar em ursos brancos.

Aplicando o mesmo conceito, mas num contexto diferente, esse fenômeno do "urso branco" é algo a que estou vulnerável e consigo compreender – e provavelmente você também consegue. Em situações silenciosas e controladas – durante discursos, num elevador, em palestras ou quando criança em reuniões de classe, se alguém sussurrar para mim "Não ria, mas...", será o fim de minha compostura. Antes mesmo que me passem a informação, já estarei sorrindo. Na verdade, sou um caso perdido nessas situações, pois, quanto mais eu me esforço para não rir, mais engraçada fica a coisa! Em mais de uma ocasião, tive de pedir licença de situações supostamente "adultas" para sair e liberar uma gargalhada, mesmo sem ouvir toda a informação. Quanto mais me esforço para não rir, mais difícil fica! É a teoria do "urso branco" em ação.

Na verdade, o dr. Daniel Wenger testou a teoria do "urso branco".[43] Em pesquisa de laboratório, ele fazia os sujeitos entrarem sozinhos numa sala com um gravador, para registrarem tudo que se passasse pela cabeça num período de cinco minutos. Antes de a pessoa entrar na sala, Wenger lhe dizia para pensar em ursos brancos ou para *não* pensar em ursos brancos. Na sala havia uma sineta, que a pessoa devia fazer soar sempre que pensasse em ursos brancos. Os resultados mostraram que aqueles que tentaram reprimir os pensamentos em ursos brancos soaram a sineta com mais frequência do que aqueles que tinham a liberdade de pensar neles.

No contexto de uma elicitação, quando os papéis foram invertidos e aqueles que antes *não* podiam pensar em ursos brancos tiveram permissão para fazê-lo, a sineta soou bem mais do que com o primeiro grupo, que inicialmente devia pensar em ursos brancos. Em outras palavras, aqueles que antes deviam reprimir uma informação, e depois foram liberados para revelá-la, passaram a revelar a informação que antes reprimiram – mais do que o grupo que sempre teve a liberdade de revelá-la!

O que isso significa? Significa que, quando obtemos uma informação de alguém que a ocultou propositalmente durante algum tempo, a informação secreta vai fluir mais livre e rapidamente do que se não tivesse sido secreta desde o começo. Em suma, depois que a pessoa revela alguma informação oculta, vai se manter motivada para continuar a compartilhar informações ocultas.

Podemos usar isso em nosso benefício. E o fazemos quando uma de nossas metas, ao tentar obter informações pela elicitação, é levar alguém a compartilhar um segredo, qualquer um, mesmo que pequeno. Se a pessoa o faz, dá início a um relacionamento secreto, e, com um pouco de incentivo, o segredo pequeno e insignificante vai abrir caminho para revelações completas.

Revelar segredos pode trazer benefícios à saúde?

Dependendo da natureza do segredo, e do impacto negativo que ele pode ter sobre o guardião (ou sobre algum conhecido), talvez este o revele quando a dor emocional ficou tão branda que ele se sentiu à vontade para fazê-lo. Então, o guardião do segredo pode compartilhar a informação com um confidente, cônjuge ou amigo, ou talvez ela nunca aflore e fique enterrada em sua mente.

No que diz respeito a relacionamentos secretos, já vimos que, segundo os testes do "urso branco", tentar reprimir informações pode levar a pensamentos invasivos (pensamentos indesejados que invadem a mente) e a preocupações por parte do guardião do segredo com relação à pessoa ou ao incidente. Levando em conta a energia mental necessária para se guardar um segredo, e a possibilidade de ocorrerem padrões de pensamento invasivos e obsessivos, será que o guardião do segredo pode vir a ter problemas de saúde, mental ou física, se nunca o compartilhar?

A maioria das pessoas imagina que o nível de estresse de quem guarda segredos importantes durante um longo tempo deve ficar bem elevado. É alarmante, mas há pesquisas convincentes que sugerem que as consequências podem ser até piores. Um estudo feito com 344 estudantes universitários que guardaram informações secretas que, em sua opinião, os outros considerariam negativas, mostrou uma relação direta com timidez, depressão, ansiedade e baixa autoestima.[44] Em outro estudo, descobriu-se que crianças que tinham ficado hospitalizadas com sintomas de distúrbios psicóticos tiveram essa doença por conta da tensão de manterem oculto algum "segredo de família" por um longo período.[45]

Esses são exemplos extremos, e não estou sugerindo que o fato de se guardar um segredo sempre tenha consequências negativas relevantes. Todavia, esses estudos confirmam a expectativa da maioria das pessoas: a tensão mental causada pela guarda de um segredo pode afetar negativamente o estado mental do guardião desse segredo.

As consequências também podem se estender para além do âmbito psicológico. Um estudo amplo e controlado feito com assistentes sociais que atendem adultos demonstrou que a guarda de segredos não só estava diretamente relacionada com a depressão e a ansiedade, como também com manifestações físicas, como dores de cabeça e dores nas costas.[46]

Um estudo sobre a saúde de homossexuais do sexo masculino produziu resultados surpreendentes, confirmando que o fato de se manter segredos pode afetar a saúde física das pessoas, e não apenas seu bem--estar psiquiátrico. Esse estudo comparou a saúde de *gays* que tinham revelado abertamente sua homossexualidade com a daqueles que a mantinham em segredo. Após cinco anos, confirmou-se que este último grupo sofreu uma incidência maior de câncer e níveis elevados de doenças infecciosas, como pneumonia, bronquite, sinusite e tuberculose. Segundo o dr. Steve Cole e outros idealizadores de tal estudo, "esses efeitos não poderiam ser atribuídos a diferenças de idade, etnia, *status* socioeconômico, tendência a reprimir a dor para suportá-la, padrões de comportamento relevantes para a saúde (como exercícios e uso de drogas), ansiedade, depressão ou predisposição psicológica (afetividade negativa, desejabilidade social)".[47] Não foi o fato de serem *gays* que os deixou doentes, mas sim o fato de manterem isso em segredo!

Vê-se claramente que há muitas pesquisas que demonstram que manter um segredo importante durante um longo tempo pode ter consequências sobre o bem-estar psicológico e físico do guardião do segredo.

Bem, e se manter um segredo pode fazer com que adoeçamos, será que sua divulgação pode "curar"? Em termos gerais, sim. Num estudo, foi registrado um período de sobrevida mais longo em pacientes de câncer de mama entre aquelas que compartilhavam segredos.[48] Não foi uma descoberta isolada; outros estudos dignos de crédito mostraram resultados benéficos semelhantes.

O dr. James Pennebaker estudou esse aspecto dos segredos durante mais de duas décadas e obteve alguns resultados muito interessantes e benéficos.[49] Ele investigou por que os guardiões de segredos tinham maior propensão a problemas de saúde, e se as pessoas que compartilhavam informações sobre alguma experiência traumática tinham melhoras na saúde em função disso. Os resultados foram espantosos. Em dois experimentos, mostrou-se que o ato de escrever sobre uma experiência traumática produzia benefícios imediatos à saúde do guardião do segredo.

O primeiro estudo, com universitários (que parecem ser sempre cobaias dos cientistas!), foi feito com quatro grupos distintos, que deveriam, em quatro dias consecutivos, escrever sobre um destes temas:

- Um evento trivial, ou
- Fatos sobre um evento traumático, ou
- Emoções que envolvam um evento traumático, ou
- Tanto fatos quanto emoções que envolvam um evento traumático.

Nos seis meses subsequentes aos testes de redação, os estudantes que escreveram sobre "tanto fatos quanto emoções que envolvam um evento traumático" visitaram menos vezes o centro de saúde do que todos os membros dos outros grupos.

No segundo estudo (mais uma vez, feito com universitários que não conheciam o propósito da pesquisa), os participantes foram testados para se avaliar a capacidade de resposta do sistema imunológico, antes e depois de escreverem sobre um evento trivial ou sobre um evento traumático pessoal; novamente, o prazo foi de quatro dias consecutivos. Os estudantes que escreveram sobre um evento traumático mostraram uma resposta do sistema imunológico bem maior (o que é bom!) do que a daqueles que escreveram sobre coisas triviais. Os resultados indicaram, claramente, uma reação salutar ao ato de escreverem sobre esses eventos.[50]

Pessoas que escrevem com sinceridade e expressividade sobre esse tipo de evento também exibem níveis de ansiedade menor, e menos elucubrações mentais negativas. Mais surpreendente ainda foi o fato de que esses resultados e os testes subsequentes constataram que escrever sobre um segredo durante 15 a 20 minutos, em quatro dias consecutivos, produz benefícios imediatos para a saúde – mesmo que os apontamentos sejam destruídos e que não sejam exibidos a terceiros!

Pode ser que você esteja tentando obter informações ocultas de uma pessoa, a fim de apoiá-la ou tratá-la melhor. Se essa pessoa acha que o segredo é vergonhoso, abjeto ou desagradável, e que não pode ser revelado a ninguém, talvez um primeiro passo sensato seja uma prática de redação semelhante à da pesquisa do dr. Pennebaker, com a destruição posterior dos apontamentos.[51] Assim, quem fizesse isso não teria de repartir a informação com os outros (bastava simplesmente escrever sobre ela), mas teria um benefício para a saúde ao fazê-lo.

PRINCIPAIS TÓPICOS DA PARTE UM

Como auxílio para a memorização, relacionei a seguir os principais tópicos da *Parte Um* deste livro, para consulta rápida.

A natureza oculta dos segredos
- Segredos são fenômenos psicológicos fugidios e muito complexos, que fazem parte natural da vida de todos nós; todos temos segredos, e é natural que as pessoas queiram que algumas informações permaneçam sigilosas ou sejam transmitidas apenas para poucos.
- Segredo é "a ocultação intencional de informações com relação a 'terceiros'". "Terceiros" pode incluir tanto entidades, como empresas, corporações, clubes e governos, quanto pessoas, como cônjuges, filhos, amigos, colegas de trabalho e desconhecidos.
- A pessoa que possui informações secretas é chamada de "guardiã do segredo".
- Aquele para quem a informação secreta não foi revelada deliberadamente é chamado de "alvo do segredo", pois tem uma desvantagem com relação ao segredo.
- Há dois tipos de segredo:
  - Segredos focados na pessoa, mantidos em benefício do guardião do segredo;
  - Segredos focados nos outros, mantidos em benefício de outra pessoa ou entidade.
- Elicitação é o processo de se obter verbalmente, de outra pessoa, alguma informação oculta.

Segredos da infância

- As pesquisas mostram que, com a idade, as crianças tendem a começar a guardar segredos para não passarem por vexames ou não serem punidas, enquanto as crianças mais novas tendem a guardar segredos sobre seus bens. Isso mostra que, à medida que a criança se desenvolve, sua percepção social aumenta e ela percebe as consequências sobre os relacionamentos, caso a informação secreta seja revelada.
- As crianças mais novas focam a posse de objetos e bens, e guardam segredo para obtê-los e protegê-los. As crianças mais velhas guardam segredos em virtude das consequências sociais adversas.

Segredos da adolescência

- A guarda de segredos pelos adolescentes ajuda a desenvolver a independência emocional; contudo, se estabelecida muito cedo na adolescência, pode fazer com que a criança lide com relacionamentos do tipo adulto, do *mundo real*, tendo problemas se não contar com o apoio e o conselho de um adulto.
- Segredos importantes, ou em excesso, guardados dos pais por um adolescente podem levar a desvantagens psicológicas, como baixa autoestima, tendência à depressão, estresse mais elevado, agressividade e delinquência, podendo reduzir seu grau de autocontrole.
- Os adolescentes podem ficar habilidosos na manipulação de informações, para que estas se ajustem a seus propósitos; revelam algumas informações e ocultam outras; além disso, podem produzir informações para gerenciar a maneira como são vistos pelos outros.

Segredos adultos

- Para guardiões de segredos adultos, consequências prejudiciais muito semelhantes às da adolescência continuam até a vida adulta.
- Pesquisas mostram que segredos relacionados ao sexo são o tema dominante entre adultos, seguidos por segredos relacionados a fracassos.
- Guardar segredos sérios, ou um número excessivo deles, pode ser tão duro e prejudicial para adultos quanto o é para crianças e adolescentes.

Segredos de família

- As pesquisas mostram que, independentemente da configuração familiar, todas são semelhantes com relação ao número de segredos, aos temas desses segredos e à função ou finalidade dos segredos de cada família.
- Os segredos de família vão além das situações cotidianas, nas quais uma família ou alguns de seus membros querem preservar alguma coisa dos demais ou do mundo exterior, ou nas quais os pais guardam informações de seus filhos como parte da criação normal.
- Segredo de família é um segredo profundo, que une psicologicamente um ou mais membros de uma família, que se comprometem a nunca falar do assunto fora do núcleo familiar, ou, às vezes, dentro dele.
- Segredos de família, independentemente da configuração familiar, podem ser nocivos e perpetuados de geração em geração, caso não sejam tratados ou resolvidos. Isso pode levar a uma vida toda de dificuldades de comunicação e de relacio-

namento entre os membros da família que conhecem o segredo e aqueles que não o conhecem.

Segredos no local de trabalho

- Toda companhia, corporação e empresa mantém segredos para proteger seus interesses. No centro dessas entidades, há um pequeno grupo seleto que guarda os segredos mais sensíveis e importantes da organização. Se quiser alguma informação sobre uma empresa ou organização, os membros desse grupo é que devem ser o alvo de técnicas de elicitação.
- Alguns executivos mais antigos, e mesmo CEOs, são particularmente vulneráveis a certas estratégias de elicitação.
- Geralmente, é melhor proteger informações comerciais sensíveis através do sigilo do que usando meios legais, como marcas, leis de propriedades intelectuais ou patentes. É que os segredos da empresa podem ser protegidos indefinidamente através do sigilo, enquanto patentes e outros mecanismos legais costumam ter uma vida finita e regulada pelo direito.
- Independentemente da discrição e da abertura que um profissional possa ter diante de clientes, fregueses e pacientes, as pesquisas mostram que muitos ainda guardam em segredo informações relevantes.

O efeito e a influência do segredo

- Dá-se um relacionamento secreto entre duas pessoas quando uma delas, ou ambas, mantém em segredo dos demais o próprio relacionamento, ou informações secretas compartilhadas dentro dele. Inclui-se também aqui o relacionamento secreto de "mão única", como uma paixão secreta por alguém que não tem noção desse sentimento.

- O segredo forma um vínculo social consideravelmente forte, que pode servir de base para a atração de um indivíduo e para uma preocupação com o parceiro num relacionamento sigiloso.
- Uma das metas que devemos ter quando queremos obter informações é fazer a pessoa compartilhar um segredo, qualquer que seja, até mesmo um pequeno. Depois que isso acontece, a pessoa será menos resistente a ocultar informações de nós.
- Abundantes pesquisas demonstram que manter um segredo importante durante muito tempo pode ser oneroso tanto para o bem-estar psicológico quanto físico do guardião do segredo.
- Segundo o dr. James Pennebaker, escrever durante 15 a 20 minutos, em quatro dias consecutivos, sobre os fatos e emoções que cercam um segredo, produz resultados imediatos para a saúde.

PARTE DOIS:

A CIÊNCIA NA ARTE DE SE DESVENDAR SEGREDOS

Se você concluiu a leitura da *Parte Um* deste livro, agora compreende bem por que as pessoas guardam segredos. Esta parte vai lhe proporcionar alguns conhecimentos essenciais para que possa desvendar esses segredos, antes de passar para os aspectos práticos do acesso a informações ocultas elencados na *Parte Três* e *Quatro*.

Em geral, o ditado "conhecimento é poder" é válido, mas quase sempre o poder se reduz quando a informação é amplamente difundida. Um conhecimento secreto, porém, continua poderoso, representando uma vantagem significativa para o guardião do segredo. Por outro lado, o poder desse conhecimento pode ser destrutivo para o guardião do segredo, tal como ocorre com alguns segredos de família (discutidos na *Parte Um*) ou no caso de uma criança que guarda em segredo o fato de estar sendo maltratada ou importunada pelos colegas. Nesse caso em especial, compartilhar a informação secreta (com os pais, professores ou conselheiros) vai reduzir o impacto mais significativo e diluir sua influência negativa.

Quando os pais, professores ou conselheiros conseguem ter acesso a segredos prejudiciais para uma criança com problemas, podem compreendê-la e apoiá-la da melhor forma possível. Para as empresas, pode ser uma grande vantagem conhecer informações sigilosas de outras empresas, de concorrentes e até de parceiras. Para executivos de maior escalão, profissionais de RH e entrevistadores, o acesso a informações ocultas pode revelar a situação real, adicionando valores significativos para a tomada de decisões e auxiliando no gerenciamento da empresa.

Para policiais e outros profissionais que aplicam a lei, fazer com que uma pessoa sob investigação revele voluntariamente informações, sem qualquer coerção, pode aumentar muito a precisão e a eficácia do trabalho, bem como a confiabilidade e a qualidade da evidência. Em nossa vida pessoal, alguns conhecidos, amigos e até pessoas mais íntimas podem ocultar informações que nos seriam úteis para nos protegermos melhor ou para compreendermos melhor essa pessoa.

Em todos esses casos, é uma vantagem saber o que as pessoas estão ocultando de nós. Sermos alvo do segredo de alguém pode nos deixar em desvantagem, ou até vulneráveis. Mesmo assim, ocasionalmente, os outros buscam preservar informações apenas para si ou compartilham-nas com alguém – mas não com você. Felizmente, há alguns aspectos científicos da guarda de segredos e algumas técnicas interpessoais, bastante inteligentes, que podemos utilizar para descobrir essas informações ocultas; o processo é chamado de "elicitação".

O QUE É ELICITAÇÃO?

"Elicitação" é, ao mesmo tempo, uma expressão e uma tática muito usadas por agências de inteligência governamental, agentes de campo e agentes secretos, e significa a sutil extração verbal de informações de pessoas cruciais para o caso. Em termos simples, a elicitação é uma conversa que segue um roteiro predefinido. Agentes secretos e espiões que usam técnicas hábeis de elicitação conseguem extrair muitas informações das pessoas que lhes interessam e que, se questionadas diretamente, se recusariam a dar a informação.

Há quem pense que esse tipo de atividade só acontece no mundo da espionagem e não tem relevância em nossa vida cotidiana. Não creio que seja esse o caso; diariamente, somos alvo de elicitação. Indivíduos e empresas tentam, constantemente, extrair informações de nós. Será que estou sendo muito paranoico? Creio que não...

Faça uma pausa e pergunte a si mesmo se já se cadastrou num *site* da Internet, dando informações pessoais para poder fazer comentários, postagens em *blogs*, receber ofertas ou vales especiais, fazer compras, participar de grupos de discussão ou obter acesso à área de assinantes. Já preencheu um questionário rápido que oferece a chance de ganhar um prêmio, ou deixou seu cartão de visitas numa urna no balcão de uma loja que oferece um prêmio mensal a um dos participantes? São atividades inocentes e não nos ameaçam, mas estão obtendo nossas informações, mesmo se mascararmos nossa verdadeira identidade.

Pense no número de "cartões de recompensa" que você tem e o número de "programas de fidelidade" de que participa. Por exemplo, cartões usados em viagens (passageiro frequente, cartões eletrônicos de transporte público), lugares onde fica (programas de recompensa de hotéis), compras feitas usando "pontos ganhos" e cartões de crédito, e cartões de fidelidade de combustível, restaurantes, mercado, café, roupas etc. Todos eles lhe conferem pontos, presentes ou descontos, mas também são um modo muito eficaz para as empresas obterem informações, que vão desde detalhes pessoais (quando você se inscreveu no programa) a seus hábitos financeiros, de compras, alimentação e viagem. Até o tipo de recompensa que você escolhe ou o modo como gasta seus pontos, em recompensas ou presentes, representam informações vitais de marketing para a empresa que oferece a recompensa. A participação em cartões de fidelidade e seu uso tornaram-se tão normais que simplesmente os aceitamos como parte da vida cotidiana do século XXI, e, sem suspeitar de nada, damos constantemente informações atualizadas para terceiros, que as usam para o próprio benefício comercial.

Se essas empresas nos escrevessem e nos pedissem para lhes darmos todas as nossas informações de compras e de viagem, dizendo-nos para mantê-las atualizadas periodicamente, mas sem uma recompensa financeira ou um presente, a maioria de nós simplesmente se recusaria a compartilhar tais informações. Entretanto, utilizamos alegremente esses cartões, e não estamos sozinhos. Esse tipo de "linha de elicitação" funciona muito bem com milhões de pessoas ao redor do mundo, prometendo um benefício e disfarçando *muito* sutilmente o fato de que uma grande quantidade de informações pessoais está sendo obtida eletronicamente de nós – é uma elicitação corporativa, e funciona.

Esses programas usam a "linha de elicitação" do incentivo ou vantagem financeira, o que funciona com a maioria das pessoas. (Discutiremos as "linhas de elicitação" com mais detalhes na *Parte Três*.) A "linha de elicitação" que você vai usar para proporcionar um incentivo ao guardião do segredo, para que ele compartilhe informações, vai variar em função das circunstâncias e da pessoa, mas, diferentemente das empresas e das agências de espionagem, você nunca terá de subornar a pessoa com dinheiro!

Na vida profissional, participamos de reuniões, conferências de negócios, feiras e apresentações. Já aprendemos os benefícios do *networking*, que é, simplesmente, o processo de estabelecer contatos úteis em benefício próprio ou mútuo. Em todas essas situações, as pessoas conversam umas com as outras e se lembram de informações interessantes ou úteis. Como parte do *networking* profissional ou pessoal, as pessoas conversam tendo em mente a formação de contatos úteis. Você deve conhecer alguém que é muito hábil para conversar e formar novos vínculos e que desenvolveu uma ampla gama de contatos úteis; essa pessoa parece saber muito bem o que está acontecendo. Ela aprendeu técnicas de elicitação, natural ou deliberadamente. Creio que é justo dizer que a elicitação faz parte de nosso dia a dia, e que as pessoas mais hábeis nessa prática são as que obtêm mais vantagens e melhor proteção em função dessa habilidade.

Um guardião de segredos (concorrente nos negócios, cliente capcioso, suspeito de crime, membro da equipe, executivo da administração, criança mentirosa, estudante) provavelmente vai se recusar a responder a nossas perguntas diretas e óbvias, sobre informações ocultadas de nós. Por outro lado, pode ser que o guardião de segredos não esteja escondendo propositalmente a informação – talvez seja difícil demais, em termos psicológicos, liberar a informação secreta, ou mesmo relembrá-la com precisão; por exemplo, a pessoa pode ter sido vítima de um crime ou de maus-tratos, como uma criança ou uma esposa. Nos dois casos, a informação precisa ser obtida da vítima. Precisamos usar táticas diferentes e "linhas de elicitação" para conseguir isso com sucesso. Elicitação não é o mesmo que intimidação ou coerção para obter informações de alguém, e nem leva a pessoa a inventar informações; trata apenas de descobrir a verdade, envolta num segredo.

Se obtivermos a informação corretamente, terá sido uma conversa agradável, tanto para o guardião do segredo quanto para o alvo dele (você). Tenho certeza de que, em algum momento, você conheceu alguém com quem parecia difícil estabelecer uma conexão. A pessoa não estava bancando a difícil de propósito, é que vocês pareciam estar em frequências diferentes e a comunicação ficou difícil, as piadas soaram sem graça ou a pessoa não estava entendendo você. Do mesmo modo, talvez você já tenha encontrado um vendedor muito ansioso ou inexperiente, que parecia falar sem parar, ou pode ter conversado ao telefone com um representante de alguma empresa que parecia mais interessado em confirmar sua identidade e em lhe vender algo do que disposto a ouvir o que você tinha a dizer. São bons exemplos do que *não* queremos que o guardião do segredo sinta ao interagir com você.

Em algum momento, você pode ter conhecido alguém com quem gostou muito de conversar, uma daquelas pessoas com quem sente que poderia ter conversado o dia todo. Há quem chame essas pessoas de "bons ouvintes". Embora a pessoa nem sempre tenha a intenção oculta de obter informações suas, ela desenvolveu naturalmente técnicas de elicitação. Por isso, você se sentiu muito à vontade conversando com ela, e pode até ter compartilhado informações mais detalhadas do que, normalmente, compartilharia com alguém, e gostaria de conversar novamente com ela, pois gostou de sua companhia. É exatamente assim que queremos que os guardiões de segredos se sintam ao interagir com você.

A ELICITAÇÃO EM AÇÃO

Certa vez, uma agência estava investigando um membro mais velho de uma gangue de meliantes motociclistas. Os investigadores ficaram preocupados porque as contas bancárias e os telefones dessa pessoa simplesmente pararam de ser usados num mesmo dia. Como seu passaporte não tinha sido usado, ele ainda deveria estar no país, passível de ser localizado por meio de agentes de vigilância. Entretanto, de repente, não havia mais sinal dele, em lugar nenhum. Há vários motivos para que todos os sinais de atividade de uma pessoa cessem numa data específica. Entre elas, temos hipóteses como a de que a pessoa se assustou pelo interesse da polícia e passou a se esconder; deixou o país usando um passaporte falso; ou foi morta. Nenhum desses resultados favorece os investigadores.

A pessoa tinha um irmão que não era da gangue de motociclistas e que seguia "razoavelmente" a lei, e ambos eram muito ligados. Determinou-se que era provável que o irmão conhecesse o paradeiro do suspeito. Nessa situação, o irmão era o guardião do segredo. Se eu fosse simplesmente abordar o irmão, fazendo-lhe perguntas diretas sobre onde poderia encontrar o suspeito, ou o que tinha acontecido com ele, sua reação não teria sido favorável. Todavia, usando o Modelo READ de Elicitação (do qual trato mais adiante), aproximei-me dele no hotel onde estava hospedado e passei algum tempo conversando com ele sobre diversos assuntos. Numa das conversas, ele me informou que seu irmão estava num acampamento, atirando e pescando numa região isolada da Austrália.

Como era um lugar onde não havia bancos e nem sinal de telefonia celular, isso explicava o aparente desaparecimento da pessoa. Depois de um tempo que me pareceu adequado, saí do hotel. Vi que o irmão tinha gostado da conversa e teria me recebido muito bem caso eu voltasse a procurá-lo no futuro. Quando a elicitação é bem-feita, a informação do guardião do segredo flui tão natural e suavemente que a pessoa se sente relaxada e confortável, e nem se questiona sobre o motivo de estar compartilhando tantas informações com você. Foi o que aconteceu com o irmão do motoqueiro.

Do ponto de vista dos negócios, há quem pergunte: por que usar a elicitação? Não seria suficiente pesquisar as informações dos concorrentes em revistas especializadas e *sites* da Internet, sem ter de conversar com alguém? Um empresário pode passar horas pesquisando as estratégias de marketing e de negócios de um concorrente, para poder competir melhor com ele. Contudo, o problema – até com pesquisas profundas dessa natureza – é que qualquer coisa impressa só é exata no dia em que saiu da impressora, porque as coisas mudam constantemente, *websites* não são atualizados com regularidade e as empresas liberam apenas as informações que desejam que os outros conheçam.

Por outro lado, as pessoas estão sempre atualizadas e podem proporcionar uma visão sobre a dinâmica humana e comercial de um concorrente, inclusive sobre conceitos e estratégias para o futuro. É uma visão importante, que só uma pessoa pode proporcionar. Nos negócios, uma elicitação realizada com habilidade vai produzir informações precisas e confiáveis que aqueles que se baseiam em pesquisas sobre material impresso, ou na Internet, simplesmente não conseguem obter.

Para isso, podemos seguir o Modelo READ de Elicitação (explicado na *Parte Quatro*), que nos orienta ao longo do processo. Entretanto, antes de passar a ele, é útil compreender as duas categorias de elicitação – a direta e a indireta –, pois cada uma delas tem suas próprias ferramentas.

ELICITAÇÃO DIRETA

Podemos descrevê-la simplesmente como um processo no qual o guardião do segredo sabe que você está tentando obter uma informação ocultada por ele. Isso pode acontecer em ambientes mais estruturados, como numa entrevista. Mas pode ocorrer numa situação menos estruturada; por exemplo, um pai que deseja saber o que a filha adolescente pretende fazer ou tem feito, sem que o processo pareça um interrogatório.

Como o nome sugere, a elicitação direta é uma abordagem direta, na qual se fazem perguntas óbvias ao guardião do segredo. No entanto, isso não significa que a única coisa que acontece seja o processo convencional de perguntas e respostas. Além disso, precisamos aplicar técnicas de elicitação direta para aumentar nossas chances de sucesso. Na ausência dessas técnicas, provavelmente, a informação oculta continuará a sê-lo – pois a pessoa pode simplesmente se recusar a responder, ou pode ter dificuldade de se lembrar da informação que interessa a você.

Exemplos de elicitação direta

Entrevistas no local de trabalho, incluindo:

- Investigação sobre queixas, acidentes ou outros incidentes.
- Sessões de *feedback* sobre desempenho.
- Entrevistas em painel de seleção.
- Entrevista de avaliação pessoal.
- Análise de histórico profissional e confirmação de referências.
- Pais ou professores perguntando a crianças (que talvez não queiram implicar seus amigos) sobre um incidente por elas presenciado, ou então para revelar seu próprio comportamento inadequado.
- Situações de bem-estar nas quais pais, professores, conselheiros ou profissionais da área médica fazem perguntas sobre informações

traumáticas ocultas, como no caso de vítimas de crime, acidentes automobilísticos, *bullying*, aconselhamento para enlutados etc.

- Profissionais da medicina que fazem perguntas a pacientes que talvez não queiram revelar, espontaneamente, algumas informações, como uso de drogas ilegais, tabagismo, transtornos alimentares ocultos, abuso de álcool etc.
- Policiais, investigadores e seguranças particulares questionando um suspeito, informante ou testemunha.

Como se pode ver, a elicitação direta é usada em qualquer situação na qual a pessoa tem uma informação oculta e sabe que você está interessado nela.

TÉCNICAS DE ELICITAÇÃO DIRETA

As técnicas de elicitação mais eficazes podem ser aplicadas tanto a situações de elicitação direta quanto indireta. Todavia, há algumas técnicas que se mostram especificamente bem eficientes quando você se acha numa posição de poder e faz perguntas diretas para ter acesso à informação de que precisa. Entre elas, temos:

- **Evitando o impasse** – fazendo perguntas com "espaço para manobras", para que a pessoa não se sinta num beco sem saída.
- **Dissolvendo barreiras de autoridade e demonstrando empatia emocional** – para estabelecer empatia rapidamente com a pessoa, fazendo com que ela se abra para você.
- **Fazendo perguntas abertas** – para que a pessoa não encerre a conversa com uma resposta do tipo "sim" ou "não".
- **Usando o silêncio** – para levar a pessoa a falar.

Essas quatro técnicas funcionam muito eficientemente com o Modelo READ de Elicitação e serão explicadas a seguir, com alguns exemplos.

Evitando o impasse – fazendo perguntas com "espaço para manobras"

Numa situação semelhante a uma entrevista, temos a tendência a fazer perguntas diretas para chegar ao cerne da questão. Todavia, geralmente essa abordagem é rebatida com uma recusa ou com uma negação persistente, podendo extinguir a motivação da pessoa para se comunicar. Isso posiciona os dois interlocutores em campos opostos, de forma improdutiva, criando um impasse.

Impasses

Pai/professor: "Diga-me, quem jogou a bola pela janela?"
Filho/aluno (guardião do segredo): "Não sei."

Investigador de acidente no local de trabalho: "Você deixou o piso molhado?"
Suspeito (guardião do segredo): "Não."

Vendedora de loja (roupa sendo devolvida): "Você usou esta roupa?"
Compradora (guardiã do segredo): "Não."

Nessas situações, os guardiões de segredos estão encurralados em sua história e não podem se desviar dela, sob pena de revelarem o fato sobre o qual mentiram. Com isso, haveria constrangimento, perda de prestígio, exposição ao ridículo ou até a imposição de uma multa ou castigo. Logo, chegou-se a um impasse na conversação. Quando duas pessoas ficam firmemente travadas em campos opostos, a comunicação cessa completamente, e pode ser muito difícil superar essa situação.

Nada bloqueia tão firmemente a informação de um guardião de segredo do que uma pergunta que força a pessoa a mentir descaradamente. Isso a deixa travada num "canto de negação". Se ela ficar nesse canto, não poderá dizer a verdade sem admitir que mentiu antes.

Se o guardião do segredo mentiu, é preciso exercer muita pressão psicológica para fazê-lo capitular e se retratar, dizendo a verdade.

Não queremos entrar numa batalha com o ego ou com o orgulho da pessoa; por isso, o truque consiste em atacar antes que ela minta e se coloque num canto. Para isso, fazemos perguntas com "espaço para manobras", permitindo à pessoa responder com uma meia verdade. Geralmente, esta vem envolta numa resposta vaga, e não numa mentira ou numa negativa evidentes. Não há mal no fato de a pessoa mentir sobre um aspecto da questão, pois pelo menos você obtém alguma informação confiável. Com isso, pode trabalhar na parte verdadeira, para obter acesso à verdade integral mais tarde, durante a conversa, sem que o guardião do segredo sinta que foi considerado mentiroso.

Dando espaço para manobras

Usaremos os mesmos cenários dos exemplos apresentados antes, mas refraseando as perguntas para dar espaço para manobras.

Pai/professor: "Você acha que pode me ajudar a descobrir quem jogou a bola pela janela?" *(Mesmo que a resposta seja uma negativa vaga, a criança não negou claramente o conhecimento, e assim, mais tarde, se ela revelar alguma coisa, não será à custa de ser considerada mentirosa – sendo, portanto, provável que colabore.)*

Filho/aluno: "Acho que não." *(É uma resposta muito melhor do que um "não" deslavado, e assim o pai/professor pode trabalhar com a criança para descobrir o que aconteceu de fato.)*

Investigador de acidente no local de trabalho: "Você foi treinado para limpar o assoalho do escritório com segurança?" *(Isso dá à pessoa uma "brecha", que pode servir de desculpa para o fato de ter deixado o chão molhado. O fato de o incidente estar sendo investigado não se altera, mas é bem mais provável que uma pergunta como essa leve a uma confissão ao longo da conversa.)*

Suspeito: "Bem, já limpei esse piso várias vezes, mas na verdade nunca recebi um treinamento."

Vendedora de loja (roupa sendo devolvida): "Esta roupa parece ter sido usada. Você acha que alguém pode tê-la usado antes de você comprá-la?"

Compradora (guardiã do segredo): "É possível; talvez isso tenha acontecido." *(Com isso, a compradora encontra uma brecha e tem espaço para manobrar com sua resposta. Nesse momento, a compradora admitiu que a roupa foi usada – o que é um ganho crucial. O passo seguinte consiste em perguntar como a "aparência de usada" da roupa não foi percebida na hora da compra pela caixa da loja ou pela compradora; com isso, as perguntas vão fechando lentamente o cerco, até a confissão.)*

O impasse na conversa é o maior inimigo de quem quer descobrir uma informação oculta; pura e simplesmente, ele detém o fluxo de informações. Esta é a pior situação, e deve ser evitada por meio de perguntas com "espaço para manobras", liberando o fluxo de informações, tanto verdadeiras quanto falsas.

Qualquer conversa, mesmo repleta de mentiras, é melhor do que uma negativa logo de cara. A solução é fazer perguntas com espaço para manobras; deixar o guardião do segredo dizer algumas verdades e algumas mentiras – *antes* que possa negar peremptoriamente alguma coisa.

Dissolvendo barreiras de autoridade e demonstrando empatia emocional

Na lista anterior de exemplos de elicitação direta, você deve ter percebido que a pessoa que busca alguma informação oculta geralmente (mas nem sempre) exerce certa autoridade sobre o guardião do segredo, por seu cargo, por sua especialização ou profissão. Se você está numa posição autoritária ao tentar obter informações de alguém que guarda um segredo, a maior desvantagem nessas situações é que sua posição o diferencia (ou o distancia) do guardião do segredo. Isso cria imediatamente uma barreira de comunicação que precisa ser superada, a fim de se compartilhar a informação. Uma barreira de comunicação dessa natureza pode causar um cabo de guerra intelectual entre o *conhecimento* (que ele tem) e o *poder* (que você tem).

Para entender melhor esse conceito, vamos estudar um exemplo no qual um investigador de uma seguradora precisa questionar um empresário (o guardião do segredo) sobre um incêndio suspeito em sua empresa. Nessa situação, o investigador da seguradora tem uma clara vantagem de poder sobre o guardião do segredo, pois, se o investigador acreditar que o empresário esteve envolvido no incêndio, o pedido de reembolso pode ser recusado ou, no mínimo, ficar parado. Independentemente da culpa ou inocência do empresário, há uma vantagem intrínseca de autoridade a favor do investigador nesse relacionamento, que aumenta ainda mais caso o empresário seja mesmo culpado.

A título de exemplo, vamos imaginar que o guardião do segredo (o empresário) seja inocente. Ele perdeu tudo no incêndio, foi questionado pela polícia, pelos investigadores do corpo de bombeiros e talvez até pela imprensa. Toda sua vida virou de pernas para o ar e foi invadida em todos os aspectos pelas autoridades. Agora, o investigador da seguradora vem lhe fazer mais perguntas. A pessoa sente que sua vida particular e sua vida profissional foram violadas, e falta-lhe privacidade.

Embora seja inocente, talvez ele não queira compartilhar mais nenhuma informação, particularmente com mais uma figura de autoridade. O investigador deseja apenas um relato preciso e fiel das circunstâncias. Nessa situação, mesmo que o guardião do segredo seja inocente, se o investigador não derrubar a barreira de comunicação criada pela diferença intrínseca de autoridade, é pouco provável que a verdade seja revelada; com certeza não o será caso o empresário tenha participado do incêndio.

Algumas pessoas podem considerar que a melhor maneira de prosseguir é levar o investigador da seguradora a usar sua autoridade para *forçar* o guardião do segredo a revelar a informação; neste exemplo, a ameaça da recusa ou da procrastinação no pagamento do seguro pode ficar pendente sobre a cabeça do empresário. Em alguns casos, a abordagem severa pode ser válida, mas com ênfase controlada e em algumas circunstâncias. Entretanto, eu não sou partidário dessa abordagem, pois ela raramente produz os resultados mais precisos e completos. Geralmente, resulta em meias verdades e o guardião do segredo apresenta informações mínimas para amenizar a ameaça. Quando a ameaça se reduz, a informação para de fluir. Queremos obter informações voluntárias e fluindo livremente, e raramente as ameaças produzem isso.

Do mesmo modo, professores e pais não podem gritar com uma criança que tenha aprontado e esperar que ela revele um segredo profundo e perturbador, plena e honestamente. Essa atitude pode abalar a criança, que pode até revelar algumas informações à força, mas não plenamente, e, de modo geral, não com precisão.

Uma das principais razões para que as provas obtidas pela polícia mediante ameaça não sejam aceitas nos tribunais é que o uso de pressão e força para a obtenção de informações raramente funciona, e, quando funciona, produz informações inerentemente imprecisas e pouco confiáveis. A ineficácia de se exigir e extrair informações ficou clara num estudo que investigou as opiniões e experiências de assassinos e estupradores entrevistados pela polícia.[52]

A pesquisa comparou dois estilos de investigação usados pela polícia: um, dominador e brutal, e o outro, com o policial fazendo uma entrevista mais humana e compreensiva – transmitindo empatia, com um interesse autêntico pelo suspeito e seus problemas. A pesquisa foi conclusiva. Foram obtidas mais confissões com o emprego dessa segunda técnica e menos por meios violentos ou coercitivos, que só serviram para aumentar o número de mentiras e de negativas.

Ficou claro que até os criminosos reagem favoravelmente e revelam seus segredos quando são tratados de forma compassiva e compreensiva. Os resultados desse estudo foram replicados em vários estudos similares, e a maioria dos dados indica que o entrevistador ou "elicitador" ideal é uma pessoa que consegue transmitir vasta gama de emoções, inclusive empatia e sinceridade, durante o processo de coleta de informações.[53] A mensagem clara aqui é que, com uma relação verbal positiva e uma demonstração de empatia emocional, até os criminosos mais abjetos vão revelar seus segredos e transmitir voluntariamente a verdade – mesmo que isso signifique irem para a prisão!

Se assassinos e estupradores estão preparados para confessar evidências incriminadoras, garantindo com isso sua prisão, será que podemos levar outras pessoas, que não correm o risco de ir para a cadeia, a nos transmitir informações ocultas? Com certeza; tudo o que precisamos é criar o ambiente correto e um relacionamento que leve à troca de informações, e a maior parte disso se faz demonstrando-se empatia. Empatia é a identificação com a situação alheia, compreendendo os sentimentos e motivos da outra pessoa.[54] Não se trata de simpatia; trata-se da compreensão dos sentimentos da outra pessoa.

Com efeito, as pesquisas mostram que, nas entrevistas policiais, a formação de um vínculo por meio da empatia e da sinceridade aumentou a cooperação nas entrevistas e a precisão dos fatos relatados (da ordem de 35% a 45% a mais).[55] Independentemente das circunstâncias, quando você busca informações ocultas a partir de uma posição de autoridade ou de poder, terá mais sucesso caso reduza as barreiras de comunicação e demonstre empatia e sinceridade.

Continuando com o mesmo exemplo, se o investigador da seguradora (Daniel Johnson) se apresentasse ao empresário desta maneira – "Olá, sou o investigador Johnson. Preciso lhe fazer algumas perguntas sobre o incêndio" –, imediatamente três barreiras seriam criadas por essa primeira frase:

- Uma *barreira de autoridade*, pelo uso do título "investigador".
- Uma *barreira pessoal*, pelo uso do sobrenome "Johnson".
- Uma *barreira emocional*, pela falta de empatia.

Essa apresentação está repleta de formalismo e de autoridade, faltando-lhe empatia emocional e eliminando qualquer possibilidade de vinculação com o guardião do segredo, um ingrediente vital em todo processo de elicitação. Uma mudança simples na primeira frase pode fazer com que as engrenagens da vinculação se engatem e pode levar o empresário a revelar não só a informação solicitada, como muitas outras.

Uma apresentação simples do tipo "Olá, meu nome é Daniel. Trabalho para a Seguradora Mackay. Sinto muito por sua perda. Você poderia me ajudar com algumas informações?", serviria para dar início a uma conversa cooperativa e abriria as portas a informações ocultas com muito mais eficácia do que uma abordagem autoritária, formal e emocionalmente distante.

Mesmo que o investigador suspeite da culpa do empresário, é importante eliminar verbalmente a barreira de autoridade, mostrando um vínculo emocional através da empatia. Isso se faz rapidamente, dispensando o uso do título de "investigador" e usando apenas o primeiro nome. A autoridade do investigador é inerente ao relacionamento, e não há vantagens em reforçá-la verbalmente. Se o empresário for culpado, sua guarda baixará com uma abordagem mais empática, pois ele não sentirá que é suspeito. Se for inocente, haverá um vínculo emocional imediato com o investigador da seguradora, que demonstrou que compreende claramente a situação do guardião do segredo.

Embora esse cenário tenha usado o investigador de uma seguradora, poderia ter sido um pai, professor, conselheiro, conferencista universitário ou advogado; na verdade, qualquer situação em que o guardião do segredo perceba que existe uma diferença na autoridade.

Em situações de elicitação direta, quando se conta com um especialista ou com outro profissional numa posição de autoridade, às vezes é fácil entrar em conflito com a pessoa. Isso pode levar muito rapidamente a uma entrevista com perguntas e respostas, que não vai produzir com plenitude e precisão a informação requerida. Nessas situações, avalie primeiro como se pode dissolver qualquer barreira de autoridade existente e procure um modo de demonstrar que compreende como a pessoa se sente; isso vai estimular um fluxo de informações ocultas muito mais positivo.

A conexão se forma através de semelhanças; minimize sempre as diferenças e enfatize (até exagere) suas semelhanças. Formar um vínculo íntimo com o guardião do segredo é o elemento mais importante para que essa pessoa compartilhe informações ocultas ou não.

Fazendo perguntas abertas

Em situações de elicitação direta, é preciso evitar perguntas que resultem numa resposta do tipo "sim" ou "não". Quando alguém responde a muitas perguntas que exigem apenas esse tipo de resposta, não demora muito para que a interação fique invasiva ou semelhante a um interrogatório. Compreensivelmente, isso pode reduzir a motivação para a colaboração. Perguntas que resultam em respostas do tipo "sim" ou "não" são chamadas de "perguntas fechadas", e, embora nos proporcionem alguma informação, queremos obter muito mais.

Devemos usar perguntas abertas, que evoquem no guardião do segredo uma resposta de certa extensão – quanto mais longa, melhor. As pesquisas mostram que perguntas abertas produzem respostas mais longas e mais detalhadas nas entrevistas policiais.[56] Esse tipo de pergunta serve de portal para uma conversação, e evoca respostas repletas de informação; mais importante ainda, evita as respostas do tipo "sim" ou "não", que as perguntas fechadas costumam produzir. Perguntas abertas levam as pessoas a falar; dão-lhes a oportunidade de nos contar sua história. Esse tipo de pergunta costuma começar com palavras ou frases como:

- Quem – Com quem você estava?
- O que – O que aconteceu depois?
- Por que – Por que isso aconteceu?
- Onde – De onde veio essa informação?

- Quando – Quando começou o programa?
- Como – Como foi que vocês se conheceram?
- Poderia me dizer...?
- Você conseguiria explicar...?

Como você pode ver, é difícil responder a qualquer uma dessas perguntas com um mero "sim" ou "não", obrigando o guardião do segredo a manter a conversa com respostas longas.

Perguntas fechadas *versus* perguntas abertas

Fechadas	Abertas
Pai: "Você foi ao *shopping* depois da escola hoje?"	Pai: "Você pode me dizer o que fez depois da escola hoje?"
Adolescente: "Sim."	Adolescente: "Fui ao *shopping*."
Pai: "Você encontrou alguém lá?"	Pai: "E o que você fez lá?"
Adolescente: "Sim."	Adolescente: "Eu encontrei o Miguel e o Carlos."
Pai: "Era algum amigo seu?"	Pai: "E depois, o que vocês fizeram?"
Adolescente: "Sim."	
Entrevistador de empresa: "Você é esforçado?"	Entrevistador de empresa: "Você pode me descrever sua ética de trabalho?"
Candidato: "Sou."	Candidato: "Sou uma pessoa consciente, pontual e dedicada ao meu trabalho."
Entrevistador de empresa: "Você toma iniciativas?"	Entrevistador de empresa: "Se for contratado, de que forma você poderá ajudar a empresa?"
Candidato: "Sim."	
Entrevistador de empresa: "Se for contratado, vai ter um bom desempenho?"	
Candidato: "Sim."	

Fechadas	Abertas
Psicólogo: "Aconteceu alguma coisa desde que nos vimos pela última vez?"	Psicólogo: "Diga-me o que aconteceu desde nossa última sessão."
Paciente: "Não."	Paciente: "Bem..."
Ou,	Ou,
Psicólogo: "Isso deixou você irritado?"	Psicólogo: "Pode me explicar como você se sentiu ao ver aquilo?"
Paciente: "Sim."	Paciente: "Bem..."

Antes de fazer uma pergunta numa situação de elicitação direta, faça-a mentalmente e avalie se a resposta pode ser do tipo "sim" ou "não". Se puder, simplesmente transforme-a numa pergunta aberta.

Usando o silêncio

Numa ocasião, um agente secreto experiente me deixou ouvir uma gravação de seu primeiro encontro como agente. Esse encontro, durante o qual ele teria de obter uma informação específica de um alvo muito valioso, levou muito tempo para ser organizado, consumiu recursos e foi crítico para o sucesso de sua operação no exterior. A gravação de vinte minutos estava repleta de diálogos claramente registrados. O único problema é que o agente secreto, recém-treinado e muito nervoso, tagarelou constantemente com o suspeito durante todo o encontro. O suspeito mal falou, porque não teve chance! A conversa estava repleta das valentes tentativas feitas pelo agente para obter informações ocultas, e estava bem executada tecnicamente; se ele tivesse parado de falar, a informação secreta teria fluido livremente.[57]

Episódios como esse não se limitam a situações que envolvem casos de espionagem. Tal como a malograda tentativa de elicitação do agente, um médico que fala mais do que ouve durante a consulta, e não faz uma pausa para ouvir o paciente, provavelmente, fará um diagnóstico errado. Isso não acontece por falta de conhecimento profissional, mas por inépcia na conversação. Além de aumentarem as informações sobre o paciente, o que ajudará no processo de diagnóstico, pausas propositais feitas pelo médico dão ao paciente (guardião do segredo) tempo suficiente para processar mentalmente a pergunta, proporcionando uma resposta mais coerente.

Quanto mais você fala ao tentar obter uma informação, menos oportunidades oferece ao guardião do segredo para compartilhar a informação oculta. Durante uma conversa, ninguém gosta de ser interrompido, ou, o que é pior, de que o interlocutor complete suas frases. Depois de fazer uma pergunta aberta ou de lançar o "gancho" na conversa (trato disso na *Parte Três*), é melhor fazer uma pausa, deixar o guardião do segredo falar e assumir a postura do bom ouvinte.

A maioria das pessoas vai considerá-lo um ótimo interlocutor se você, simplesmente, fizer perguntas e depois deixar o outro falar! As pessoas vão "gostar" naturalmente de você, caso lhes dê uma chance de serem ouvidas, escutando e comentando ativamente aquilo que têm a dizer. Compartilhamos mais informações com as pessoas de quem gostamos.

Portanto, vimos que o silêncio pode ser uma ferramenta valiosa, permitindo que o guardião do segredo compartilhe informações numa situação de elicitação direta. Além disso, o silêncio também pode ser usado para *fazer* com que o guardião do segredo revele informações. Quando ocorre uma pausa silenciosa numa conversa, as pessoas se sentem compelidas a preenchê-la com palavras (ou mesmo com sons!). Você pode ter estado numa situação, ou evento, em que o orador usa *hmmm* e *ahnnn* no final de cada frase. A principal razão para isso é evitar um silêncio ensurdecedor e desconfortável. O silêncio pode levar alguém da plateia a interromper o orador, ou a fazer algum comentário enquanto ele ainda está pensando no que vai dizer, e por isso o orador ocupa o espaço com esses sons de *hmmm* e *ahnnn*. Isso lhe permite manter o controle da conversa, pois o silêncio pode ser entendido como um indicador para que a palavra passe para a outra pessoa, de quem será então a vez de falar.

Todos já estiveram em situações nas quais se fez um silêncio, ou uma pausa constrangedora, durante a conversa. Na verdade, não gostamos dos silêncios carregados de significados que envolvem essas situações. Quando uma pausa assim acontece, um dos dois interlocutores fala simplesmente para aliviar o desconfortável silêncio; essa pessoa foi forçada a se manifestar.

Usando esse fenômeno, podemos manter o silêncio para provocar o guardião do segredo e fazê-lo falar. As pausas são uma parte importante do diálogo, e a "pausa de efeito" pode ser uma ferramenta útil na elicitação. Não só como ênfase, mas como ferramenta para incentivar o guardião do segredo a falar. Pesquisas mostram que a duração de uma pausa tolerável em conversas varia conforme o idioma, a cultura e as pessoas envolvidas na conversa. Em termos gerais, porém, a maioria só consegue tolerar pausas de dois ou três segundos antes que um dos envolvidos simplesmente tenha de falar.

Pausas mais longas pressionam os dois interlocutores. Quando um deles termina uma frase, faz uma pausa e olha para o ouvinte, este se sente pressionado a responder. Se o locutor conclui uma frase e o ouvinte não fala nada, o locutor vai imaginar que ofendeu o ouvinte ou que disse alguma coisa errada, e geralmente esclarece o que disse ou acrescenta alguma informação. Este último exemplo é realmente útil quando queremos obter informações.

Quando o guardião do segredo lhe disser alguma coisa, insira uma pausa proposital. Isso dá pouco *feedback* ao guardião do segredo e cria nele certa pressão psicológica para tornar a falar. Mas lembre-se de que essa técnica deve ser usada com parcimônia, pois pode deixar o guardião do segredo pouco à vontade ao conversar com você, opondo-se a seu esforço de formação de vínculo.

ELICITAÇÃO INDIRETA

A elicitação indireta é, por sua própria natureza, uma atividade mais discreta do que a elicitação direta. Nesta, o guardião do segredo sabe que você está tentando obter uma informação e sabe que está sendo questionado, entrevistado ou perguntado sobre determinado assunto. Em contrapartida, uma das metas primárias da elicitação indireta é a obtenção de informações das pessoas sem que elas percebam. A menos que a pessoa tenha sido treinada especificamente em contraelicitação, ou seja extremamente reservada e introvertida, a elicitação indireta é uma ferramenta eficaz na maioria dos casos. Investindo algum tempo e usando diversas técnicas numa série de conversas bem engendradas, é possível ter acesso a informações ocultas da maior parte das pessoas.

Alguns acham que isso soa como bisbilhotice, algo um tanto incorreto. Bem, um livro chamado *Como Desvendar Segredos* fatalmente terá esses componentes! Em muitos processos de elicitação, há um elemento necessário de ludíbrio. Contudo, este raramente vai além de se dizer, em conversas com o guardião do segredo, coisas como "gosto disto" ou "concordo com sua opinião", quando, na verdade, essas declarações não são verdadeiras. Essas "pequenas mentiras brancas" ocorrem como parte de conversas normais e cotidianas, pois as pessoas buscam cooperar com as outras sem ofendê-las, como "Sim, gostei do seu novo penteado", ou "Puxa, parece que você perdeu peso".[58]

As pessoas se sentem motivadas a dizer essas coisas para não ofenderem desnecessariamente os demais. A única diferença entre essa falsidade cotidiana e a falsidade na elicitação é a motivação de formar um relacionamento ou entabular uma conversa com a finalidade de se obter uma informação oculta.

Anos atrás, quando a linguagem corporal tornou-se a nova fronteira da comunicação interpessoal, algumas pessoas consideraram que o uso deliberado de técnicas tais como o "espelhamento" da pose corporal de outra pessoa, ou de técnicas abertas de linguagem corporal, para aumentar a comunicação ou fingir interesse numa conversa, podia ser ofensivo.

A elicitação indireta não é uma prática perversa, e pode ser uma parte importante e adequada da criação de filhos, do ensino ou da atividade empresarial, bem como da vida social da pessoa. Os pais podem, por exemplo, exigir, subitamente, informações de seus filhos quando suspeitam que fizeram algo de errado. Mesmo que o progenitor use as técnicas de elicitação direta discutidas anteriormente, essas tentativas vão falhar. Quando o progenitor suspeita que o filho "está aprontando", raramente adota uma estratégia específica, com uma ou duas conversas, que induza o filho a contar tudo. Feita corretamente, a elicitação indireta causa esse efeito.

Num contexto social, as técnicas de elicitação indireta também podem ser usadas como ferramenta de namoro, ajudando a criar rapidamente um vínculo com outra pessoa. Nos negócios, a elicitação indireta pode identificar quando uma empresa concorrente está tomando decisões importantes, suas estratégias de marketing, mudanças de RH planejadas em segredo ou oportunidades positivas, como a expansão da empresa ou chances de promoção próxima. A elicitação indireta pode proporcionar tanto proteção quanto uma vantagem vital, pessoal ou profissional, para seu usuário.

Alguns profissionais que ensinam elicitação para agentes secretos gostariam de levá-lo a acreditar que ela só pode ser realizada por especialistas, e que é complexa demais para as pessoas comuns. Concordo com o fato de a elicitação indireta poder ser um processo bem complicado, mas foi por isso que idealizei o Modelo READ de Elicitação, que é bem fácil de seguir. Todavia, discordo da afirmação de que as pessoas comuns não podem desvendar segredos. Tudo de que precisam é:

- Inteligência mediana.
- Habilidade mediana para lidar com pessoas – uma pessoa com excelente habilidade interpessoal, ou que goste de conversar ou de conhecer outras pessoas, vai se sair extremamente bem.
- Autoconfiança mediana.
- Habilidade para observar pessoas – provavelmente, pessoas que saibam entender os outros ou que gostem de observá-los (não estou falando de assediadores), se sairão bem.
- Experiência de vida (a idade é uma vantagem; crianças dificilmente conseguem aprender ou aplicar essas técnicas).
- Disposição para aprender técnicas e conhecimentos básicos (mostrados neste livro).
- Estar preparado para conversar com as pessoas e pôr em prática essas técnicas.

Se você não se encaixou em todos esses itens, não se preocupe. Vi gente bastante introvertida que revelou qualidades excepcionais na elicitação, simplesmente com um pouco de conhecimento técnico e alguma prática.

Exemplos de elicitação indireta

Encontrar um concorrente (guardião do segredo) numa feira ou conferência e levar a pessoa a lhe revelar algumas informações privilegiadas para que sua empresa tenha vantagens.

Policial, auditor, advogado ou investigador particular que quer obter informações adicionais de um suspeito, de uma testemunha ou informante.

Médico, enfermeira, paramédico ou psicólogo que deseja usar essas técnicas para fazer com que um paciente ou cliente se recorde de informações que foram reprimidas ou com as quais tenha dificuldade para lidar.

Um negociador pode obter informações vitais de outra pessoa em meio a conversas aparentemente casuais.

Em vendas, essas técnicas podem ser muito bem aplicadas, tanto pelo vendedor quanto pelo cliente. O vendedor pode aprender muita coisa sobre o cliente e depois adequar o discurso de vendas para aumentar as chances de vender algo. Do mesmo modo, o comprador pode usar essas técnicas para obter informações sobre o "verdadeiro" preço mais baixo pelo qual o produto pode ser adquirido.

A pessoa que está pensando em comprar uma casa pode usar a elicitação indireta ao conversar com outros moradores da área, para descobrir como, na verdade, é a vida no bairro.

Um progenitor pode usar essas técnicas ao conversar com alguém que se candidatou a cuidar de seu filho durante o dia ou a dar-lhe aulas.

Estes são apenas alguns exemplos de aplicações vantajosas da elicitação indireta. Todavia, o espectro de usos práticos dessas técnicas é limitado apenas pela imaginação.

Em suma, a elicitação indireta pode ser aplicada a qualquer situação em que você queira obter informações dos outros, sem que eles saibam.

TÉCNICAS DE ELICITAÇÃO INDIRETA

Nesta seção, vamos analisar técnicas de elicitação indireta de grande sucesso, visando estimular sutilmente o guardião de um segredo a revelar sua informação oculta. É chamada de "ser aquela pessoa", e vamos aprender a fazê-lo usando a "estima", a "vinculação emocional" e o "espelhamento psicológico".

"Ser aquela pessoa" usando estima, vinculação emocional e espelhamento psicológico

Como vimos, algumas das principais técnicas utilizadas por espiões e agentes secretos são transferíveis diretamente para diversas situações que podem proporcionar vantagens e proteção para pessoas comuns. Ao contrário dos espiões, não podemos (ou melhor, não devemos) injetar "soros da verdade", como o pentotal ou o amital de sódio, para "soltar a língua" das pessoas – mas podemos usar técnicas de conversação e "linhas de elicitação" para estimular a pessoa a compartilhar conosco, de forma *voluntária* e *de bom grado*, informações *precisas*.

Felizmente, há alguns aspectos da natureza humana e da guarda de segredos que podem nos ajudar. Por exemplo, quando uma pessoa tem um segredo, sente a vontade inerente e natural de compartilhar essa informação. A troca de informações é um padrão humano normal. Na verdade, é raro que as pessoas não revelem informações ocultas a pelo menos uma pessoa, no mínimo; geralmente, fazem-no a mais de uma pessoa. Isso ficou evidente em pesquisas recentes, que confirmaram que muito poucas pessoas guardam segredos exclusivamente para si mesmas.[59] É extremamente raro encontrar alguém que não os compartilhe. Um estudo identificou que, em 87% a 96% dos casos, as pessoas preferem compartilhar suas experiências emocionais a guardá-las em segredo.[60]

O impulso de compartilhar é o desejo natural de buscar uma visão diferente e de obter algum alívio psicológico com a "descarga" da informação. Isso faz com que seja difícil para as pessoas guardarem informações secretas exclusivamente para si mesmas. Logo, nas circunstâncias corretas, revela-se um segredo para, no mínimo, uma outra pessoa.

Se quisermos ter acesso a essa informação, precisamos criar um ambiente e um relacionamento que estimulem a revelação do segredo para nós – queremos "ser essa pessoa" na mente do guardião do segredo.

Persuadir sem forçar

Não é possível "ser essa pessoa" por meio de força física ou verbal (nada de arrancar unhas com alicate!). Simplesmente, não dá para entrar no escritório de um concorrente e perguntar qual o melhor preço deles para certa concorrência, ou exigir sua lista de clientes, e nem dá para um funcionário exigir de um alto executivo o plano secreto da administração para cortes na folha de pagamentos. Essas tentativas iriam fracassar, pura e simplesmente.

Do mesmo modo, médicos, psicólogos e conselheiros não teriam muito sucesso se exigissem de seus pacientes certos detalhes íntimos. Esse tipo de informação precisa ser obtido mediante *persuasão*, mesmo em ambientes profissionais nos quais a confiança costuma ser presumida e a confidencialidade é garantida. Se você fosse visitar um desses profissionais e achasse que ele estava fazendo perguntas mais invasivas do que o necessário, e, o que é importante, você não "gostasse" da pessoa, será que compartilharia suas informações mais confidenciais com o especialista, ou ficaria ainda mais reservado? Nessa situação, a maioria das pessoas se sente desconfortável e não compartilha muita coisa, mesmo num ambiente no qual o profissional tem o compromisso legal de manter as informações em segredo. Por quê? Porque o especialista não está "sendo aquela pessoa", e você fica reticente em divulgar plenamente sua informação secreta.

Se quisermos "ser essa pessoa" na qual o guardião do segredo confia, precisamos saber em quem os guardiões de segredo confiam. Então, podemos nos tornar "essa pessoa" em sua mente. Um estudo singular, que examinou os aspectos da manutenção e da revelação de segredos de setenta pessoas, serve como uma excelente orientação sobre o tema.[61]

Das setenta pessoas que preencheram os questionários confidenciais, 41 disseram que tinham um segredo.[62] Dessas 41, só 4 disseram que não revelaram a ninguém a informação sigilosa. Logo, conforme o que acabamos de ver, cerca de 90% dos participantes revelaram a informação para, no mínimo, mais uma pessoa. Os resultados desse estudo mostram que, geralmente, os segredos foram revelados àqueles que tinham proximidade *emocional* com o guardião do segredo. Geralmente, eram mais "amigos ou confidentes" – e menos das categorias de familiares, cônjuges e colegas. Surpreendentemente, os segredos foram confiados *três vezes* mais a amigos do que a familiares ou cônjuges.[63]

A quem os segredos são confiados[64]

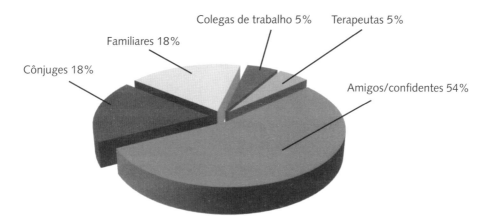

O fato de amigos serem alvo de confidências na maioria dos casos é bom para nós, pois é quase impossível você se tornar subitamente parente do guardião do segredo, e não recomendo que você se case com alguém só para ter acesso a seu segredo – embora não fosse a primeira vez que isso tivesse acontecido na busca de informações internacionais! Mas se você se tornar o amigo ou o confidente do guardião do segredo num processo de elicitação, é bem provável que a pessoa compartilhe sua informação secreta com você.

Para *tornar-se* "essa pessoa" amiga ou confidente do guardião do segredo, você precisa:

1. Ser *estimado* por ele.
2. Ter um *vínculo emocional* com ele.

Estima

As pessoas compartilham suas informações mais íntimas e privadas com quem "gostam". Quanto mais um guardião de segredo gosta de você, mais próximo você estará de "ser aquela pessoa". Independentemente da qualidade de sua linha de elicitação, se o guardião do segredo não gostar de você, a informação não estará acessível. Mesmo depois de um encontro muito breve, as pessoas adquirem, bem rapidamente, uma noção do que sentem por outra. Por isso, precisamos nos assegurar de que a primeira e a última impressão que o guardião de um segredo tem de você é positiva e confluente, ou seja, vocês dois concordam com alguma coisa e a compartilham, afastando-se com uma sensação positiva em relação à interação. Essa ação inicial estabelece a plataforma de comunicação para tal relacionamento nesse momento determinado, e incentiva comunicações posteriores mais abertas e sinceras.

Muitas pessoas sabem, naturalmente, ser estimadas e amigáveis, e muitas conseguem pôr em prática essas charmosas habilidades interpessoais quando necessário. Aprendemos isso desde cedo. As crianças sabem fazê-lo muito bem, e podem mudar de demônios para anjos, de esquisitas para engraçadinhas e de travessas para educadas num piscar de olhos, especialmente quando querem alguma coisa! Essas habilidades se desenvolvem à medida que crescemos e, quando chegamos à idade adulta, a maioria consegue ser afável e estimada por outras pessoas quando necessário, mesmo que por um breve período de tempo. Até fiscais de trânsito e cobradores de dívidas podem ser encantadores quando querem... ou não.

Usar sua habilidade natural para ser "querido" é um bom começo para sua interação com o guardião do segredo. Todavia, além de ser estimado pelo guardião do segredo, a maneira mais rápida de estimular alguém a compartilhar informações inclui ainda a criação de um vínculo emocional.

Vinculação emocional

Pode-se formar um vínculo emocional entre duas pessoas em torno de um interesse comum, de alguma identificação ou de um senso de humor semelhante, coisas que se criam rapidamente em situações nas quais as duas pessoas estejam na mesma situação – e sintam semelhanças emocionais. Por exemplo, o guardião do segredo e o alvo do segredo estão esperando há um bom tempo numa fila e o alvo do segredo conta como isso é frustrante, e então solta uma piada sobre a situação. Se o guardião do segredo rir, formou-se um vínculo emocional. Mesmo que a piada não produza uma resposta, psicologicamente o guardião do segredo vai reconhecer (interiormente) que ambos compartilham a mesma emoção (frustração).

As pessoas se relacionam melhor e se comunicam com mais eficiência com aquelas que consideram similares a elas próprias. Nesse caso, demonstrar a mesma emoção que o guardião do segredo indica uma semelhança e cria uma aliança mental sutil. Na mente do guardião do segredo, o alvo do segredo pensa do mesmo modo e compreende a situação tal como ele. Isso forma um vínculo emocional não muito forte, mas há uma emoção compartilhada entre ambos e isso já é um ótimo ponto de partida. Quando isso é feito propositalmente, chama-se "espelhamento psicológico".

Espelhamento psicológico

O espelhamento psicológico funciona com base na comprovada premissa que diz que "as pessoas gostam de pessoas que são como elas". Pesquisas no campo da psicologia demonstram que as pessoas compartilham informações mais prontamente com quem tenha características similares, como idade, valores, crenças e cultura.[65] Isso não significa que não possamos nos comunicar ou não gostemos de nos comunicar com pessoas diferentes de nós, mas que, na maioria das ocasiões, vamos nos sentir mais confortáveis divulgando informações para pessoas que têm alguma coisa em comum conosco. Essa característica humana não se limita a traços importantes. Por exemplo, duas pessoas de culturas diferentes podem estreitar seu relacionamento quando uma delas chama a atenção para o fato de ambas serem membros da mesma igreja, do mesmo clube ou pensarem de modo similar com relação à política. Se, no entanto, uma delas começasse a lembrar das diferenças entre si, em vez de falar das semelhanças, a comunicação ficaria difícil e atenuaria o fluxo livre das informações!

Um estudo chegou até mesmo a demonstrar que o uso de nomes similares em envelopes produzia uma reação mais positiva nas pessoas.[66] Nesse estudo, foram enviados questionários (solicitando uma resposta) a pessoas, usando um nome de remetente similar ao do destinatário. Por exemplo, um questionário enviado a Joan Read tinha um nome de remetente (falso) de John Ready. O estudo mostrou que, quando o nome do destinatário tinha reflexo nos detalhes do remetente, o percentual de retorno chegava a 56%, e quando o nome do destinatário não tinha essas semelhanças, o percentual era de 30%. Um aspecto significativo é que esse retorno maior se deu sem qualquer comunicação interpessoal, simplesmente um nome similar escrito num papel. Quando fazemos uso da técnica do espelhamento psicológico sobre a pessoa, exercemos uma influência ainda maior!

No contexto da linguagem corporal, muitas evidências apontam para o fato de que "espelharmos fisicamente" a posição corporal do outro reforça a comunicação interpessoal. Pesquisas recentes demonstram que o *espelhamento comportamental* aumenta a confiança durante uma negociação, levando a pessoa "refletida" a revelar mais prontamente detalhes para a pessoa que estava espelhando seu comportamento, e outro estudo mostrou que o espelhamento aumentou as vendas de 12,5% para 67%![67]

O espelhamento psicológico aprofunda ainda mais o conceito de reflexo da linguagem corporal e procura valer-se da propensão psicológica a preferirmos aqueles que nos são semelhantes. Demonstrando a mesma emoção que o guardião de um segredo numa mesma situação, podemos estabelecer um vínculo emocional com ele. Diferentemente da linguagem corporal, não é apenas o espelhamento físico que é crítico; é o "espelhamento" psicológico do guardião do segredo.

Espelhamento psicológico consiste em demonstrar e compartilhar propositalmente a mesma emoção que o guardião do segredo, e ao mesmo tempo. Isso é muito eficaz para criar rapidamente um vínculo emocional entre duas pessoas que são absolutamente estranhas, liberando rapidamente o fluxo de informações.

Tal como em qualquer situação de elicitação, é importante demonstrar claramente, através da fala e das ações, que entendemos, e, ainda mais importante, compartilhamos as emoções do guardião do segredo referentes à situação. Independentemente das circunstâncias, quer sejam alegres, tristes, empolgantes ou engraçadas, precisamos nos sintonizar com as emoções do guardião do segredo no momento em que entramos em contato com ele, e demonstrar que compreendemos a emoção pela qual ele está passando naquele momento.

Um modo eficiente de fazê-lo é usar frases e palavras idênticas ou semelhantes às do guardião do segredo. Se, por exemplo, o guardião do segredo disser "Hoje está muito quente", sua resposta deve ser: "Sim, tem razão, está mesmo quente". E não: "Sim, está muito úmido hoje". Como você usou uma expressão diferente (umidade), o guardião do segredo pode concluir que você está demonstrando uma percepção diferente da mesma situação, ou está usando deliberadamente uma palavra mais técnica, como se estivesse querendo se mostrar superior – ambas só servem para afastar o guardião do segredo de você.

Repetir palavras ou frases usadas pelo guardião do segredo durante a conversa reforça as semelhanças entre vocês.

Se você pensar em suas experiências anteriores, pode ter havido uma ocasião em que você estava entre um grupo de estranhos e, por algum motivo, todos compartilharam a mesma experiência emocional. Vocês podem ter esperado horas a fio no saguão de embarque do aeroporto, ou terem ficado num ônibus ou avião que quebrou ou foi desviado. Talvez você estivesse sentado do lado de uma pessoa num restaurante e ambos tenham esperado um bom tempo até a comida chegar. Se um estranho na mesma situação for gentil com você – por exemplo, emprestar-lhe uma revista ou um celular para você entrar em contato com parentes e avisar do atraso do avião – e lhe mostrar empatia (dizendo que se sentia tal como você diante da situação), e, dias depois, vocês tornarem a se encontrar, ainda seriam estranhos? Suspeito que, se vocês se vissem uma segunda vez, haveria um aceno, um leve sorriso ou, no mínimo, algum gesto de reconhecimento, pois já haveria uma relação (mesmo que fraca) entre vocês. Você gosta da pessoa por causa da atitude gentil e tem um vínculo emocional, pois ambos sentiram a mesma emoção com relação à mesma situação, e ao mesmo tempo.

Em situações como essa, as pessoas se sentem semelhantes em termos psicológicos e se posicionam do mesmo lado contra uma adversidade comum. Até mesmo os fumantes, que ficam ao longo do dia em grupos de "rejeitados" do lado de fora do local de trabalho, criam um vínculo emocional e compartilham informações mais facilmente em função disso. Pode parecer estranho, mas amizades vitalícias surgiram de situações desse tipo! Elas proporcionam uma experiência similar à de exercícios de formação de equipes, destinados a criar vínculos através de experiências compartilhadas.

Num contexto diferente, forma-se rapidamente uma camaradagem entre policiais, trabalhadores em serviços de emergência e militares, ao lidarem com experiências trágicas e pessoalmente desafiadoras, pois passam juntos pelas mesmas emoções e formam um vínculo emocional próximo. O espelhamento psicológico duplica isso.

Quer tenha sido uma experiência positiva, quer negativa, é crucial demonstrar aberta e claramente que se trata de uma experiência emocional "compartilhada", pois (na mente do guardião do segredo) ela aproxima emocionalmente de nós o guardião do segredo. Isso reforça o vínculo do relacionamento e abre caminho para comunicações mais próximas, íntimas.

Espelhamento psicológico: dois espelhos num elevador

Numa ocasião, eu estava num elevador com diversas pessoas, inclusive uma senhora de idade e um executivo de terno, quando ele parou inexplicavelmente. Ninguém gosta de ficar preso num elevador, e esse tipo de situação afeta cada pessoa de maneira diferente. Aguardamos em silêncio durante alguns minutos, esperando que o elevador voltasse a funcionar. Como isso não aconteceu, um dos passageiros usou o interfone do elevador para chamar a segurança, que prometeu que um técnico poria o elevador em funcionamento em pouco tempo.

Passados alguns minutos, à minha esquerda, a senhora idosa começou a mostrar sinais de medo e de ansiedade, e, à minha direita, o executivo bufava e olhava o relógio a todo instante; estava claro que ele precisava estar em algum lugar num determinado horário. À parte uma pequena inconveniência de horário, para mim a situação não teve nenhum impacto. Mesmo assim, voltei-me para a senhora de idade e lhe disse que eu ficava um pouco tenso em situações como aquela, que era um tanto perturbadora (espelho psicológico número um). Ela me disse que também se sentia assim. Disse-lhe que achava que muita gente se sentia daquela maneira (declaração normalizadora), mas que não havia muito com que nos preocupar, pois em breve tudo se normalizaria (conforto). A senhora idosa sorriu com sinceridade para mim.[68]

Poucos instantes depois, dirigi-me ao executivo e ajustei meu espelho psicológico, dizendo-lhe que eu não gostava nem um pouco daquele tipo de situação, que era muito inconveniente, pois eu estava indo para uma consulta com um especialista e ia me atrasar. Ele se manteve impassível, mas concordou e disse que ia para o aeroporto. Reclamei, dizendo que não sabia como, no século XXI, não conseguíamos construir carrinhos de supermercado que andem em linha reta ou elevadores que não se quebrem. Depois de alguns comentários adicionais, percebi que o humor dele estava melhorando. Com isso, ajustei meu espelho para refletir o fato em minha conversa com ele, fazendo comentários menos cínicos e mais bem-humorados. Seu humor melhorou ainda mais.

Pouco depois, a voz do técnico se fez ouvir pelo alto-falante do elevador, ao lado do executivo, e disse que estaríamos em movimento em poucos minutos. Então, perguntei ao executivo se ele podia me encomendar um cheeseburger (como se estivéssemos no alto-falante do *drive-through* do McDonald's), e isso o divertiu muito. Então, sem que eu perguntasse, ele começou a me dizer como era importante para ele pegar aquele avião, pois tinha uma reunião com um possível investidor. Graças ao espelhamento psicológico, em sua mente estávamos na mesma viagem emocional, que começou com frustração e terminou com humor. Bem, que eu soubesse, ele não era um guardião de segredos, pois eu não tinha nenhum interesse em seus planos de negócios – mas, se tivesse, teria sido uma ótima maneira de começar a obter informações dele.

Alguns momentos depois, o elevador começou a se movimentar e o humor de todos melhorou. Saímos do elevador, e, apesar de estar atrasado, o executivo fez questão de se despedir. Estendeu a mão e nos cumprimentamos. Quinze minutos antes, tínhamos entrado num elevador e ele nem me olhara, e nem olhara para os outros. Agora, quis apertar a mão de um estranho, embora estivesse atrasado para ir ao aeroporto. Por quê? Porque não éramos mais estranhos; tínhamos um vínculo emocional, criado pelo espelhamento psicológico.

Se tivéssemos nos encontrado de novo pouco depois desse incidente, nossa conversa teria começado mais como amigos do que como estranhos, embora isso devesse mudar com o tempo. Para garantir que começaríamos uma nova interação com o mesmo calor daquela que concluímos, eu usaria um gancho e uma sincronia de elicitação (explicados na *Parte Três*). Por exemplo, um gancho do tipo "Ficou preso em outro elevador recentemente?" chamaria imediatamente sua atenção. Então, eu escolheria uma sincronia de elicitação como "E então, já recebeu o meu cheeseburger?". Isso vincularia nossa nova conversa diretamente ao incidente bem-humorado e ao vínculo emocional positivo formado naquele elevador.

Quando saí do prédio, despedi-me da senhora idosa, que me agradeceu por ajudá-la. Claro que ela nunca foi uma guardiã de segredos segundo minha óptica, e usei o espelhamento psicológico para reconfortá-la. Mesmo assim, formara-se um vínculo emocional entre nós.

Em suma, as pessoas compartilham informações ocultas com, no mínimo, uma outra pessoa. Usando a elicitação indireta, se você for "estimado" e espelhar psicologicamente com sucesso um guardião de segredo, demonstrando que compartilhou uma experiência emocional com ele, terá formado um vínculo emocional e estará bem posicionado para "ser essa pessoa".

PRINCIPAIS TÓPICOS DA PARTE DOIS

Como auxiliar para memorização, relacionei a seguir os principais tópicos da *Parte Dois,* para consulta rápida.

- Elicitação é uma conversa mantida deliberadamente, com a finalidade específica de aprendizado. É uma conversa com o propósito sutil de obtenção de informações.
- Através de uma elicitação sutil, pode-se aprender muito com a pessoa focada, que, se questionada diretamente, se recusaria a fornecer essa informação.
- A elicitação faz parte da vida cotidiana, e aqueles que são mais eficientes nela obtêm mais vantagens e se protegem melhor como resultado desses talentos.
- Elicitação *não* é intimidação ou extração à força de informações de alguém; também não leva o outro a inventar informações; diz respeito a descobrir a verdade, envolta numa forma secreta.
- O elemento mais crítico de qualquer esforço de elicitação é a formação de um vínculo estreito com o guardião do segredo.
- Se obtivermos a informação corretamente, terá sido uma conversa agradável, tanto para o guardião do segredo quanto para o alvo do segredo (você).

Elicitação direta
- Elicitação direta é o processo no qual o guardião do segredo sabe que você está tentando obter acesso à informação que ele oculta. Isso pode acontecer em ambientes estruturados, como numa entrevista, ou em situações menos formais. Entretanto,

é um processo inquisitivo, no qual a pessoa sabe que você está tentando conseguir alguma informação oculta.

- A elicitação direta pode ser útil em situações como:
  - Pais ou professores que perguntam a uma criança algo sobre um incidente testemunhado por ela, mas a criança não quer implicar um amigo ou não quer revelar seu próprio comportamento inadequado (para evitar a autorrecriminação).
  - Situações de bem-estar, como pais, professores, conselheiros ou profissionais da medicina que fazem perguntas sobre informações traumáticas ocultas, como o fato de o guardião do segredo ser vítima de crime, de acidente automobilístico, *bullying*, estar em processo de luto etc.
  - Profissionais da área médica que pedem a pacientes informações que estes talvez não queiram dar livremente, como abuso de drogas ilegais, tabagismo, distúrbios alimentares ocultos, abuso de álcool etc.
  - Policiais, investigadores e pessoal de segurança questionando um suspeito, um informante ou uma testemunha.
- Entre as estratégias de elicitação direta, temos:
  - Evitar um impasse: fazer perguntas com espaço para manobras, para que a pessoa não se encurrale num canto.
  - Dissolver barreiras de autoridade e demonstrar empatia emocional: forma-se rapidamente um vínculo com a pessoa, fazendo com que ela se abra.
  - Fazer perguntas abertas: assim, a pessoa não pode encerrar a conversa com um simples sim ou não.
  - Usar o silêncio: faz com que a pessoa fale.
- Se você estiver num processo de elicitação direta, evite valer-se de uma eventual posição de autoridade para forçar a ver-

dade junto ao guardião do segredo. Estudos mostram que a pessoa que consegue demonstrar empatia e sinceridade obtém com muito mais eficácia acesso a informações ocultas.

Elicitação indireta

- A elicitação indireta é, por sua própria natureza, uma atividade mais sub-reptícia do que a elicitação direta. A meta primária da elicitação indireta é a obtenção de informações ocultas de uma pessoa, sem que ela tenha consciência disso.
- A elicitação indireta pode ser uma parte importante e adequada do planejamento de pais, professores e empresas, bem como da vida social das pessoas.
- A elicitação indireta pode ajudar a:
  - Conhecer um concorrente (guardião de segredo) numa feira ou conferência, levando a pessoa a lhe dar alguma informação privilegiada para sua empresa obter vantagens.
  - Policiais, investigadores da empresa, advogados ou detetives particulares que desejam obter informações adicionais de uma testemunha ou informante.
  - Médicos, enfermeiras, paramédicos e psicólogos, que podem usar essas técnicas para que um paciente ou cliente se recorde de informações reprimidas ou com as quais é difícil de se lidar.
  - Um negociador, que pode obter informações vitais da outra parte durante conversas aparentemente casuais.
- A estratégia mais bem-sucedida de elicitação indireta consiste em "ser aquela pessoa", o que é feito usando-se:
  - Estima: as pessoas compartilham suas informações mais íntimas e pessoais com aqueles de quem "gostam". Quanto

mais um guardião de segredo gostar de você, mais perto você estará de "ser aquela pessoa".

- Vinculação emocional: forma-se um vínculo emocional mediante um ponto de interesse comum, um aspecto ou um senso de humor semelhante, coisas que são criadas rapidamente em cenários nos quais as duas pessoas partilhem uma mesma situação – e se sentem parecidas em termos emocionais.
- Espelhamento psicológico: compartilhar uma jornada emocional cria vínculos emocionais. O espelhamento psicológico recria isso e pode formar rapidamente um vínculo entre duas pessoas absolutamente estranhas.

- A maior ameaça à obtenção bem-sucedida de um segredo é a aparência de insinceridade. O melhor cenário é ser querido e compartilhar um vínculo ou a proximidade emocional.
- Vínculos emocionais criados pelo espelhamento psicológico deterioram-se com o tempo. Caso use essa técnica, é importante manter novo contato com o guardião do segredo pouco depois de ter criado o vínculo, para solidificar um relacionamento mais duradouro de troca de informações.

PARTE TRÊS:

CONECTANDO-SE – GANCHO, LINHA E SINCRONIA

Na *Parte Quatro*, vamos ver como usar o Modelo READ de Elicitação. Antes disso, porém, precisamos entender como podemos nos "conectar" eficientemente com um guardião de segredos, pois esse é o estágio mais importante do modelo.

Já vimos que pessoas com informações ocultas compartilharão essa informação com, no mínimo, uma pessoa; geralmente, um amigo ou confidente, mas sempre alguém com quem o guardião do segredo tenha intimidade e de quem goste. O contato próximo é o modo mais rápido e eficiente de atingir esse *status* na mente do guardião do segredo.

Devemos seguir três etapas para travar contato rapidamente com uma pessoa que tem informações ocultas:

- **Gancho de elicitação**: Uma técnica de conversação para "fisgar" imediatamente o guardião do segredo e levá-lo a falar.
- **Linha de elicitação**: Técnica ou estratégia usada para influenciar o guardião do segredo a se abrir (além do gancho) e conversar com você.
- **Sincronia de elicitação**: Para sincronizar os sentimentos positivos e o vínculo de proximidade obtidos numa conversa, com uma conversa posterior.

Nas próximas seções, vamos estudar melhor cada um desses estágios de conexão e você perceberá como são fáceis e eficientes. Como os seres humanos são complexos em termos psicológicos, não existe uma técnica de elicitação do tipo "tamanho único". Cada situação é diferente e cada guardião de segredo é um indivíduo diferente; portanto, nesta parte eu quero lhe proporcionar diversas ferramentas psicológicas para aumentar sua chance de sucesso. Desse modo, você pode adequar sua abordagem de conexão em função de seu relacionamento com o guardião do segredo, das circunstâncias do encontro e do tipo de informação que está tentando obter.

Caso siga o método do gancho, linha e sincronia, você vai se surpreender com a rapidez com que forma uma amizade íntima com a pessoa, tornando-se seu confidente. Essa técnica não ajuda apenas em contextos de elicitação; pode ser muito eficiente para *networking* e até para melhorar relacionamentos pessoais!

O ANZOL ADEQUADO PARA CADA PEIXE

"Gancho de elicitação" é uma técnica de conversação usada para fisgar imediatamente o guardião do segredo, levando-o a conversar. É a maneira de superar o "Olá" e iniciar uma conversa. O gancho de elicitação precisa fazer com que o guardião do segredo responda. Sempre que possível, esse gancho deve ter duas partes:

1. Uma declaração (algo com que ambos concordem); seguida de
2. Uma pergunta (para levar o guardião do segredo a conversar com você).

Para selecionar um gancho, use seu instinto, seu talento prático e as observações sobre o ambiente e sobre o guardião do segredo, para avaliar qual a questão mais importante na mente dele nesse momento específico. Desse modo, você poderá ajustar sua frase de abertura usando alguma coisa com a qual ambos concordem, inserindo depois uma pergunta para evocar uma resposta. Com isso, fica fácil escolher um gancho.

O exemplo mais básico desse processo é o comentário simples sobre o tempo. Como abertura básica de uma conversa, uma declaração do tipo "Está frio hoje" não vai funcionar, pois o gancho não tem um componente de pergunta. Sem a parte da pergunta no gancho, a conversa pode parar com um "sim". O gancho precisa manter a conversa fluindo.

Eis a mesma ideia simples reformulada para criar um gancho eficiente, que procura saber a opinião do guardião do segredo: "Está frio hoje. Você lembra se esteve frio assim no ano passado?". Todavia, um gancho como esse não funciona com pessoas atarefadas (que não estão interessadas no clima naquele momento e estão concentradas em outros problemas) ou com uma pessoa que está num ambiente aquecido (pois o frio não faz parte de seus principais pensamentos nesse momento). No entanto, um gancho como esse vai funcionar quando o dia estiver frio e vocês estiverem num ponto de ônibus, situação em que as pessoas têm tempo (pois esperam o ônibus) e são afetadas pelo clima, pois o frio estará bem presente em seus pensamentos nessa ocasião.

O gancho de elicitação em ação

Imagine-se caminhando pela rua com um grupo de colegas, indo para um almoço de negócios, e que você deseja obter informações guardadas por uma executiva sênior (a guardiã do segredo) que está no grupo. A executiva veio de Sydney, Austrália, e acabou de fazer uma análise de eficiência em recursos humanos para o CEO da empresa, que em breve vai anunciar mudanças importantes na companhia, com base nesse relatório. Nenhum membro do grupo conhecia essa executiva.

Enquanto caminham, a executiva sênior tropeça numa pedra do calçamento. Qual a sua reação? Você pode querer rir, mas isso não vai ajudar em seu esforço de elicitação! Rapidamente, você percebe que ali está uma oportunidade e avalia o que deve passar na mente dela naquele momento. Usando o espelhamento psicológico e um gancho, você mostra que está frustrado e diz: "A prefeitura deveria fazer alguma coisa com o calçamento desse bairro. Na semana passada tropecei perto daqui e acabei com meu sapato. As calçadas estão ruins assim em Sydney?".

Isso deve servir bem de gancho, pois a dor, a frustração, talvez um constrangimento e o estado de seu sapato estarão em sua mente nesse instante. Você e a guardiã do segredo concordam num ponto, estão claramente do mesmo lado e o gancho faz com que ela responda com um "Não! As calçadas de Sydney estão bem melhores". Você concorda com ela e diz: "Bem, estive várias vezes em Sydney e nunca tive problema. Vou escrever para a prefeitura reclamando sobre o que aconteceu conosco e ver se eles tomam alguma providência". O uso da expressão "conosco" une vocês ainda mais, consolidando-os do mesmo lado.

Apesar de suas próximas perguntas não serem "Pode me falar do resultado confidencial do seu relatório", ou "O que o CEO vai dizer no discurso dele?", ou então "Meu cargo está seguro?", agora você possui uma vantagem que mais ninguém tem; um vínculo emocional com aquela executiva sênior. Você pode ampliá-lo usando linhas de elicitação e sincronias de elicitação (explicadas na próxima seção) durante o almoço. Isso vai lhe dar uma visão bem mais ampla sobre a executiva, acelerando rapidamente o vínculo que já foi formado entre vocês. Com mais algumas conversas posteriores, você deverá obter acesso à informação que busca, bem como informações sigilosas no futuro.

O processo que nos leva a sermos "queridos" ou estimados, usando o espelhamento psicológico e um gancho de elicitação, aplica-se a qualquer situação. Se, por exemplo, você observa uma guardiã de segredo, de aparência alegre e agitada, acompanhando com o pé a música num bar ou num café, um gancho alegre e agitado (espelhamento psicológico) que você poderia usar seria: "Puxa, eles tocam músicas muito boas aqui, não acha? É sempre bom assim?". Isso deve provocar uma reação que leva a uma conversa. Do mesmo modo, se o guardião do segredo está em pé numa fila ou aguardando o seu pedido há algum tempo, um gancho frustrado e impaciente (espelhamento psicológico) como "Precisam melhorar o atendimento aqui! Quanto tempo faz que você está esperando?" deve resolver.

Um gancho eficiente faz com que o guardião do segredo concorde imediatamente com sua declaração inicial (você não o ameaça, ambos têm algo em comum e estão do mesmo lado), depois – o que é importante – você pede a opinião dele, o que (na cabeça dele) confirma que essa opinião é importante para você, e, a menos que o guardião seja rude, deve começar a conversar com você.

Ao tentar obter informações sigilosas, qualquer conversa (tanto com conteúdo emocional positivo quanto negativo) que venha do guardião do segredo é melhor do que o silêncio. Entretanto, quando a conversa acabar, é importante que o guardião do segredo pense favoravelmente em você e na conversa. Isso vai facilitar muito a próxima conversa planejada entre vocês, pois, quando essa pessoa o vir, vai recriar em sua mente as emoções do contato mais recente.

Se você lançar o gancho e o guardião do segredo for brusco, rabugento ou fingir desinteresse, não se desestimule; continue com o espelhamento psicológico. Depois que sentir que formou um vínculo emocional, leve a conversa para um assunto mais leve, se possível, para que a conversa se encerre com ele.

Todos gostamos de um final feliz, mas nem sempre conseguimos um quando o guardião do segredo é uma pessoa com a qual é difícil de se estabelecer um diálogo. Porém, não perdemos quase nada, pois, mesmo tendo um encontro frustrante, isso não significa necessariamente que o guardião do segredo vá associar você imediatamente com a experiência frustrante. Se seu gancho e suas linhas de elicitação tiverem sido eficientes, a lembrança do guardião do segredo não vai recair primeiro na frustração, mas no fato de ambos terem enfrentado a situação juntos – o que, em si, é positivo.

Em suma, seu gancho deve consistir em duas partes. Primeiro, use a técnica do espelhamento psicológico; uma frase de abertura com pontos comuns (alguma coisa com a qual ambos concordem e que mostre que estão do mesmo lado), que estejam na superfície da mente do guardião do segredo. Segundo, mostre que ele tem valor fazendo-lhe uma pergunta (pedindo sua opinião). Isso deve iniciar positivamente sua interação com a pessoa. Leve a conversa para um desfecho positivo, se puder.

Ter um bom gancho ajuda quase sempre, evitando que você seja ignorado pelo guardião do segredo. Depois, você pode progredir usando sua linha de elicitação.

LANÇANDO A LINHA DE ELICITAÇÃO

Linha de elicitação é uma técnica ou estratégia usada para influenciar um guardião de segredo a se abrir (depois do gancho) e conversar com você. As linhas de elicitação exploram algumas tendências humanas naturais, como:

- Geralmente, as pessoas são educadas e gostam de ajudar, mesmo quando estranhos (amigáveis) lhes fazem perguntas.
- A maioria quer parecer bem informada e compartilha informações para demonstrar isso.
- Compartilhar informações, inclusive segredos, é uma atitude humana natural, e quase sempre (87% a 96% dos casos) nós o fazemos com pelo menos uma pessoa – geralmente, um amigo ou confidente de quem o guardião do segredo se sinta emocionalmente próximo.

- De algum modo, todos querem se sentir reconhecidos ou aceitos.
- Quando recebe alguma coisa, inclusive convites, presentes e até informações, a maioria das pessoas se sente obrigada a retribuir o favor.
- Quando uma pessoa obtém acesso exclusivo ao segredo de outra, sente-se valorizada, digna de confiança e mais íntima dessa pessoa.

Ao iniciar uma conversa com o guardião do segredo, você deve decidir se vai usar apenas uma linha ou uma combinação delas ao longo da interação. Você vai perceber, claramente, quando está usando a linha correta, pois o guardião do segredo vai se "iluminar" e começar a falar de verdade. Esta é a primeira fase do Modelo READ de Elicitação – "pesquise e avalie" (discutido com mais detalhes na *Parte Quatro*). O propósito desta fase é sondar o guardião do segredo, a fim de poder escolher a linha de elicitação que vai levá-lo a conversar com você. A linha de elicitação vem logo após o gancho. O objetivo primordial da linha de elicitação é fazer com que a conversa continue, a fim de:

- Fortalecer o vínculo emocional.
- Estabelecer, rapidamente, uma conexão.
- Aproximá-lo do guardião do segredo.
- Permitir-lhe conduzir a conversa até a área do segredo.
- Obter a informação secreta, se possível.

As linhas de elicitação discutidas nesta seção valem-se das seguintes táticas:

- Elogios.
- Compartilhamento de um segredo inventado para descobrir um segredo real.
- Um pelo outro – reciprocidade.
- Acredite: a incredulidade funciona!

- Declaração falsa.
- Nunca mais vou ver você.
- Escolha um inimigo em comum.
- Exclusivamente seu!
- Puxa, você é importante mesmo, por favor, fale mais sobre isso!

Elogios

Não é segredo que o elogio costuma ser usado para se obter favores ou vantagens junto a outras pessoas. Em geral, dão-se cumprimentos com o propósito óbvio de fazer com que os outros se sintam bem em relação a quem faz o elogio. Gostamos de receber elogios, mas só quando são sinceros. Quando os elogios são falsos, sempre causam impacto negativo.

Exemplo óbvio de falso elogio

Adolescente: "Oi, mãe. Você está bonita hoje; emagreceu?"
Mãe: "Ah, obrigada. Emagreci um pouco e fiz um penteado diferente hoje."
Adolescente: "Posso pegar o carro emprestado?"
Mãe: "Não!"

Por outro lado, talvez você tenha passado por uma situação na qual alguém elogiou *sinceramente* alguma coisa que você fez, ou sua aparência, por exemplo; e, compreensivelmente, isso fez você se sentir bem e mais confiante, além de ficar com uma visão positiva dessa pessoa. Por esse motivo, o elogio pode ser uma linha de elicitação útil. Você também pode ter vivido uma situação na qual alguém elogiou você, e sua percepção instintiva foi a de que o elogio era falso ou feito com uma finalidade específica. Nessa situação, a pessoa perdeu credibilidade e confiança. Por isso, o elogio é sempre uma linha perigosa de elicitação.

É importante lembrar que "falsos elogios fracassam", ficando evidentes para a maioria das pessoas.

Como as pessoas costumam receber elogios com intenções veladas com certa frequência, ficam hábeis em identificá-los. Logo, se você decidir usar um elogio, ele precisa ser autêntico. Em minha opinião, a menos que a pessoa esteja buscando um elogio sincero, caso em que ela não vai avaliar criticamente um comentário, é difícil usar elogios como linha de elicitação de forma convincente. O truque consiste em elogiar sinceramente o guardião do segredo por algo em que você acredita de fato. Mas, você precisa ser muito sutil na forma como faz o elogio.

Lembre-se de que o propósito de uma linha de elicitação é fortalecer o vínculo emocional, estabelecer uma relação e aproximá-lo do guardião do segredo. O uso óbvio do elogio falso vai destruir tudo isso rapidamente. Além disso, vimos que os guardiões de segredos compartilham informações com aqueles de quem se sentem próximos. Se um guardião de segredo acha que você não é sincero, não vai se sentir próximo e nem trocar informações com você; na verdade, qualquer conversa que vocês tiveram no futuro deverá ser fria ou contida, mantendo-se num nível superficial.

Embora admita que haja dificuldades inerentes ao uso do elogio, se feito corretamente ele funciona muito bem. Ao contrário do exemplo anterior, nunca devemos fazer um elogio direto para depois entrar num assunto diferente, especialmente se envolver a informação secreta. O elogio precisa ser feito em pequenas doses e, quando possível, deve concentrar-se na área do segredo. Se feito dessa maneira, e convincentemente, ele faz com que a emoção positiva da pessoa associada a você passe também para a área do segredo, elevando o nível de tolerância do guardião do segredo para falar do assunto.

Talvez você não acredite nisso, mas muitos dos executivos seniores, até mesmo os CEOs e vice-presidentes, estão prontos a se abrir após um elogio. Nada de elogios rasgados como "Nossa, que terno bárbaro" ou

"Seu discurso foi muito inspirador". Isso é óbvio demais, e as pessoas que atingem esses cargos geralmente (embora nem sempre!) são muito sagazes, e muitas têm talentos interpessoais altamente desenvolvidos e perceptivos. Mesmo assim, esse grupo é particularmente vulnerável a elogios.

Como essas pessoas provavelmente representaram suas empresas em conferências, feiras e reuniões de acionistas, e compareceram a apresentações e a encontros com clientes, elas sentem que são uma parte vital da empresa em que trabalham e daquilo que ela representa. Na maior parte dos casos, são muito bem remuneradas e, compreensivelmente, sentem muito orgulho da empresa, à qual são leais. A melhor maneira de elogiar essas pessoas é elogiar a empresa para a qual trabalham, pois irão acatar automaticamente o elogio como se fosse pessoal. Fazem-no porque, psicologicamente, associam a empresa e seu cargo à sua própria identidade. Logo, se você elogiar a empresa, elas interpretarão isso, psicologicamente, como sendo um elogio pessoal.

Como as pessoas costumam perceber os falsos elogios, é sempre mais seguro elogiar por meio de terceiros ou em paralelo com aquilo que o guardião do segredo faz, aquilo de que gosta ou com que se associa. Isso pode ser feito elogiando-se a empresa do guardião do segredo, sua habilidade como gestor, seu gosto desportivo ou até a raça de seu cão. Quando o elogio é feito dessa forma, a pessoa aceita melhor a outra e suspeita menos dela, pois a associa com o objeto do elogio; ela recebe o elogio como se fosse para si, o que lhe confere um sentimento positivo com relação a você. Lembre-se de que as pessoas compartilham informações com quem gostam – e, naturalmente, gostamos daquelas pessoas que gostam de nós.

Usando elogios

Se você tivesse tido a sorte de ter criado uma ferramenta revolucionária de pesquisa na Internet e quisesse obter algumas informações privilegiadas de um executivo sênior do Google, certamente não começaria a pesquisa dizendo à pessoa que o Bing é uma ótima ferramenta de pesquisa!

Em vez disso, você tentaria usar uma linha de elicitação elogiosa, algo como: "Lembro-me de como era fazer pesquisas na Internet antes do Google, como era algo tosco e ineficiente. O Google mudou tudo isso. O que vocês fizeram no Google mudou para sempre o mundo da Internet. Sua tecnologia deve ser de ponta mesmo".

Isso deve fazer com que a pessoa tenha uma postura mais positiva com relação a você. Mesmo que não trabalhasse no Google quando a empresa foi fundada, o guardião do segredo vai considerar essa linha como um elogio pessoal. Além disso, ele associa esse elogio diretamente com a área sobre a qual você deseja informações: a tecnologia.

Independentemente da indústria ou do tipo de negócio, o elogio costuma funcionar melhor (em doses controladas) com guardiões de segredos em posições mais elevadas, quando é feito discretamente através da empresa.

Há muitas maneiras de usar uma linha de elicitação elogiosa sem que pareça óbvia e direta. Pense nisto: você está trabalhando e um gerente ou sócio sênior da empresa, que está sempre muito atarefado, com o telefone ao ouvido na maior parte do tempo, pergunta-lhe se você pode ir até o escritório dele por alguns minutos. Quando você entra no escritório, ele o cumprimenta com um sorriso e você se dá conta de que não está prestes a ser despedido! Então, ele diz: "Quero ouvir sua opinião sobre um assunto, mas aguarde um instante enquanto desativo o telefone para não sermos interrompidos". Se essa pessoa "muito importante e atarefada" cortou todas as comunicações externas, obviamente planejando dar-lhe toda a atenção para ouvir sua opinião, como você se sentiria? Nessa situação, a maioria das pessoas se sentiria valorizada – isso é um elogio indireto.

Se você for supervisor, assessor ou gerente de recursos humanos e quiser descobrir o segredo de algum colega, o simples fato de desativar deliberadamente o telefone na frente da pessoa que está à sua frente é uma linha de elicitação elogiosa sutil e eficiente. Há muitas maneiras de usar uma linha de elicitação elogiosa (sem fazer um elogio óbvio e direto) para que a pessoa a "interprete" como um elogio pessoal. Com isso, você ganha uma imagem mais positiva junto ao guardião do segredo, mesmo com um elogio deliberado e interesseiro.

Elogio no local de trabalho

Para uma cabeleireira: "É preciso ter muita habilidade para ser uma boa cabeleireira. Isso é muito mais do que segurar uma tesoura e um secador".

Para um motorista de caminhão: "As pessoas se esquecem disso, mas sem motoristas de caminhão, o país iria parar".

Para um progenitor que não trabalha fora para poder cuidar dos filhos em casa: "Acho incrível que as pessoas enfatizem tanto a necessidade de ter uma carreira. É muito importante educar bem os filhos".

Outro modo interessante de usar uma linha de elicitação elogiosa consiste em concentrar-se na ética de trabalho da pessoa. Muitos acham que trabalham demais (até escritores pensam assim – que bizarro!) e a maioria considera seu trabalho importante. Por isso, em várias ocasiões, você obterá uma reação positiva ao ajustar sua linha de elicitação elogiosa à importância de determinada vocação ou ao fato de se trabalhar muito no ramo do guardião do segredo.

Elogio ao tipo de trabalho

A um repórter de jornal: "Acho espantoso as pessoas esperarem que seu jornal não tenha erros no noticiário. Você acha que elas param para pensar que alguém teve de pesquisar e escrever sobre o assunto, além de cumprir horários para entregar o texto?".

A um paramédico: "Fala-se muito dos médicos, de como eles trabalham muito. Mas as pessoas se esquecem de que são os paramédicos e os enfermeiros que enfrentam a parte mais difícil na linha de frente".

Em suma, como as pessoas são habilidosas para identificar falsos elogios, essa linha de elicitação deve ser sempre feita indiretamente e usada em doses controladas. Se lançada de forma sutil, você terá uma resposta mais positiva da pessoa, que se sentirá mais inclinada a compartilhar informações com você.

Compartilhamento de um segredo inventado para descobrir um segredo real

Na *Parte Um*, vimos como duas pessoas que mantêm um relacionamento secreto compartilham informações secretas, excluindo os demais. Também vimos que essa forma de sigilo cria um vínculo social consideravelmente intenso entre os dois guardiões de segredos. Diversos estudos revelaram que compartilhar um segredo pode aumentar a atração e a proximidade entre duas pessoas.[69] Basicamente, isso se deve ao fato de que o compartilhamento exige uma confiança recíproca entre os dois guardiões de segredos.

Assim, se uma pessoa toma a iniciativa e compartilha um segredo com outra, ela transmite tanto confiança quanto intimidade à pessoa a quem o segredo é confiado. Isso influencia, naturalmente, essa pessoa a retribuir a confiança e a intimidade. Estudos também demonstraram que a natureza e o conteúdo do segredo eram quase irrelevantes; o processo de sigilo é que criou a sensação de proximidade no relacionamento.[70]

Juntando tudo isso, se pudermos compartilhar algum segredo com o guardião do segredo (independentemente do que se trate), formando um relacionamento de confiança, essa pessoa irá, por sua vez, compartilhar alguma informação secreta. Isso não significa manter um relacionamento "pessoal", como um namoro ou uma noitada com o guardião do segredo; isso não seria ético. Contudo, ao compartilhar nosso próprio segredo (qualquer que seja) com um guardião de segredo, essa pessoa vai se sentir elogiada, mais íntima e digna de confiança. O guardião de segredo vai avaliar psicologicamente o relacionamento e concluirá que ele virou uma parceria, com proximidade emocional e confiabilidade. Com isso, é possível preparar o terreno para um relacionamento de trocas.

Pense no que você sentiria se um amigo lhe dissesse "Nunca contei isto para ninguém antes, mas..." e lhe passasse uma informação muito importante. Como seria de se esperar, você se sentiria privilegiado e mais próximo desse amigo, pois, segundo sua perspectiva, dentre todas as pessoas que ele conhece, você foi escolhido, acima dos demais, como o único digno de ter acesso a essa informação sigilosa.

Você pode abrir um portal psicológico (que de outro modo estaria fechado) ao compartilhar um segredo pessoal, se necessitar obter informações secretas, e de natureza sensível e pessoal, de um amigo íntimo, de um paciente ou cliente. Isso também pode minimizar a vergonha ou a negatividade da pessoa que compartilha a informação. Usar a elicitação direta ou indireta para compartilhar um segredo muito particular (verídico ou não), a fim de formar um vínculo mais estreito com o guardião do segredo, pode ajudar muito a pessoa que tem dificuldade para falar de seus sentimentos e experiências.

Nunca compartilhe segredos sobre outras pessoas com um guardião de segredos, pois isso pode fazê-lo questionar sua capacidade de guardar informações em segredo.

Se quiser reforçar o fato de ser capaz de manter uma informação em segredo sem dizer "pode confiar em mim" (que nunca funciona!), experimente dizer: "Bem, uma vez alguém me disse algo confidencial sobre esse assunto, mas não posso falar sobre ele porque eu disse que não revelaria a informação a ninguém". Isso é muito mais eficiente, pois o guardião do segredo vai usar declarações como essa como um parâmetro ao medir sua confiabilidade e avaliar se deve compartilhar uma informação com você.

Compartilhando segredos

Se uma psicóloga que já sofreu de bulimia estiver com dificuldades para ajudar uma paciente (guardiã do segredo) a se abrir sobre seu próprio transtorno alimentar, pode dizer: "Nunca contei isto a meus pacientes, mas eu sofri de bulimia na adolescência". Ou: "Por favor, guarde isto para si, pois nunca disse nada a ninguém, mas há alguns anos passei por uma fase terrível, em que comia compulsivamente e depois tomava laxantes para não engordar". Declarações como essa podem ser usadas mesmo que não sejam verdadeiras. No entanto, funcionam tão bem quanto avisos luminosos para a guardiã do segredo, dizendo que esse relacionamento tem um aspecto especial e íntimo de compartilhamento.

Neste exemplo, não importa tanto o tema do segredo da psicóloga e sim o fato de ser um segredo particular, divulgado exclusivamente para a guardiã do segredo. Poderia ser sobre a dificuldade da psicóloga em lidar com *bullying*, um segredo de infância ou até sua situação financeira. Do ponto de vista da guardiã do segredo, importante é o fato de a psicóloga ter compartilhado seu segredo mais íntimo. Isso estimula a guardiã do segredo a pensar em fazer a mesma coisa, porque agora essa é a natureza do relacionamento. Tornou-se um relacionamento secreto, podendo formar um vínculo de troca de informações.

Na elicitação, é preferível compartilhar informações secretas do mesmo tipo que você procura, o que é explicado na seção a seguir; entretanto, isso nem sempre é necessário. Se o guardião do segredo acreditar que você compartilhou um segredo muito bem guardado, isso formará a base de um relacionamento secreto, que vai aproximar ambos e levá-los a compartilhar informações mais íntimas. Para isso, talvez você tenha de inventar um segredo ou contar um verdadeiro.

Exemplos de compartilhamento de segredos

Um funcionário compartilha um "segredo" com um supervisor, para conferir um aspecto adicional ao relacionamento que, até então, foi estritamente profissional; com isso, o supervisor compartilha informações secretas sobre decisões gerenciais.

Visando obter acesso a informações ocultas sobre a empresa de um concorrente, numa feira, o empregado de uma empresa compartilha um falso segredo íntimo com um concorrente amigável, para criar a impressão de que o relacionamento é mais íntimo do que de fato é.

Disfarçado como um cliente de um bar, um detetive particular (contratado por uma esposa desconfiada) confia ao marido o "segredo" de que ele (o detetive) está tendo um caso. Em troca, o marido também faz uma confissão.

Diante da perspectiva de um namoro, uma pessoa compartilha um segredo muito profundo e emotivo, visando fazer com que o parceiro em potencial se abra e compartilhe mais informações íntimas. Quando isso acontece, cria-se um relacionamento secreto, o que geralmente aumenta a atração e a intimidade entre os parceiros.

Um pelo outro – reciprocidade

Em latim, *quid pro quo* significa "um pelo outro", ou "faço um favor por ter recebido um favor" – popularmente, *uma mão lava a outra*. Pode ser um acordo empresarial, como "Se eu fizer isto para você (ou para a sua empresa), espero que você faça isto para mim". Também pode ser transacional, como no caso em que uma pessoa paga uma importância em dinheiro e recebe um produto ou um serviço em troca, ou quando um pai dá ao filho alguns trocados depois que este acaba de limpar o quarto (não antes!)

Embora o "um pelo outro" possa se aplicar a temas profissionais e transacionais, ele também se manifesta naturalmente na sociedade. Se, por exemplo, um casal convida outro para jantar em sua casa, o casal convidado se sente obrigado a retribuir a gentileza. Do mesmo modo, se de repente alguém lhe oferece um cafezinho enquanto você está trabalhando, provavelmente você se sentiria na obrigação de retribuir o gesto. Esse aspecto bastante positivo da natureza humana costuma levar as pessoas a recompensar a bondade com um gesto similar.

Usando o exemplo anterior, seria pouco provável que você retribuísse o favor do cafezinho comprando um bilhete de loteria para a pessoa, mesmo que ambos custassem o mesmo valor. É que não estamos falando do *custo* do favor que você está retribuindo, mas do favor em si. É melhor retribuí-lo da mesma maneira, ou de forma similar. Do mesmo modo, se seu vizinho guardou sua correspondência enquanto você viajava, e você sabe que ele vai sair de férias, provavelmente você vai querer lhe fazer o mesmo favor, ou algo similar.

Geralmente, preferimos retribuir um favor "na mesma moeda", mas quando isso não é possível, fazemos outro favor. Por exemplo, durante um programa de pesquisas, algumas pessoas receberam de um pesquisador uma lata de refrigerante sem pedir; mais tarde, no mesmo dia, esse pesquisador abordou as pessoas com bilhetes de uma rifa. Aqueles que tinham recebido a lata gratuita de refrigerante compraram o dobro de bilhetes que aqueles que não tinham ganhado a bebida – veja a força do "um pelo outro".[71] Diante de uma obrigação do tipo "um pelo outro", na ausência de uma moeda de troca equivalente à lata de refrigerante, compraram bilhetes de rifa para cumprir a obrigação.

Esse atributo da natureza humana é importante do ponto de vista da elicitação, pois também se aplica à troca de informações. Pense num relacionamento atual com uma pessoa, baseado simplesmente na realização de tarefas. Vocês são amistosos e se dão bem, mas só se encontram no trabalho e só discutem questões profissionais. Numa manhã de segunda-feira, essa pessoa começa a lhe contar o que fez no fim de semana. Seria provável que, numa situação dessas, você retribuísse, contando alguma coisa sobre seu próprio fim de semana. Como retribuição à pessoa pelo fato de ter compartilhado uma informação sobre o fim de semana dela, você se sentiu obrigado a fazer o mesmo.

Para facilitar a descoberta de um segredo, podemos dar alguma informação à pessoa – similar àquela que queremos obter dela, ou do mesmo tipo. Isso não se consegue como se fosse uma transação. Por exemplo, numa feira de *software,* você não declara abertamente: "Nossa empresa está planejando diversificar e entrar num novo mercado de jogos, e a sua?". A maioria dos guardiões de segredos iria se sentir pouco à vontade e na defensiva diante dessa abordagem despojada, especialmente se a pessoa for muito fiel à empresa dela. Queremos dar ao guardião do segredo algumas informações para que ele se sinta obrigado a nos revelar algo sobre um tema similar.

Ao usarmos a lição aprendida na seção anterior sobre compartilhar um segredo inventado, para obter um segredo real, uma abordagem melhor seria: "Não diga para ninguém, isto é só entre mim e você, mas a minha empresa está planejando diversificar a área de jogos, mudando o nosso negócio principal". Então, você precisa fazer uma pausa, forçando o guardião do segredo a fazer um comentário sobre essa informação secreta. Nessa situação, dependendo de como você desenvolveu o vínculo com a pessoa, ela vai se sentir obrigada a compartilhar um segredo do mesmo tipo. Poderá dizer: "Bem, meus chefes decidiram fazer algo parecido há alguns meses, e agora estamos desenvolvendo plataformas de reconhecimento de voz, o que desviou boa parte dos recursos de nosso trabalho normal".

Juntar o compartilhamento de um segredo com o "um pelo outro" pode fazer com que um guardião de segredo se sinta mais próximo e disposto a compartilhar um segredo da mesma natureza, ou similar.

Cenários de compartilhamento e "um pelo outro"

Numa grande conferência farmacêutica, Stan e Simon se encontram, por coincidência, no bufê de almoço oferecido pelos patrocinadores. Stan quer obter de Simon algumas informações secretas. Eles se encontraram várias vezes em conferências semelhantes. Apesar de trabalharem para empresas concorrentes, são amigos e decidiram sentar-se juntos para almoçar. Por sugestão de Stan, concordaram em se encontrar num bar após a conferência, para um drinque.

Stan engendrou de antemão o encontro num bar, para que possa conversar com Simon num ambiente social e tranquilo, longe da área da conferência, pois esta iria lembrar Simon de que ele está representando sua empresa, e parte de seu trabalho consiste em evitar revelar informações confidenciais.

Nessa noite, no bar, Stan inventa um segredo visando extrair um segredo real de Simon. Stan diz: "Quero lhe contar uma coisa sobre a minha empresa, que me deixou muito frustrado. O pessoal está mantendo em sigilo, mas é uma coisa meio estúpida. Você conhece a indústria farmacêutica, e por isso vai entender o que digo, mas pode manter isso apenas entre nós?".

Simon diz: "Sim, com certeza".

Stan pediu permissão e agora Simon reagiu positivamente, e está conhecendo um segredo de outra empresa; Simon entrou no processo. Psicologicamente, isso aumenta a obrigação de Simon, que deve retribuir com o mesmo tipo de informação; um relacionamento secreto está sendo formado.

Stan diz: "Bem, não conte para ninguém, mas precisamos cortar 30% de nosso orçamento de pesquisa e desenvolvimento e paramos com as pesquisas sobre o novo remédio para enxaqueca".

Simon responde: "É, parece loucura, mas li um *e-mail* do chefe outro dia que dizia que íamos reduzir nosso orçamento de pesquisa e desenvolvimento e íamos começar a importar precursores da China, para minimizar os custos de produção daqui".

Stan diz: "É mesmo? E que impacto isso teria sobre você?".

Simon diz: "Sobre mim, creio que nenhum. Você sabe que lido com vendas, e a empresa precisa de mais vendas, porque estamos perdendo lentamente a participação no mercado".

Stan diz: "Puxa, que bom para você, Simon – desde que esteja certo. A gente vai continuar ganhando esses almoços grátis nas conferências!".

Stan usa a técnica de distração do Modelo READ (explicada na Parte Quatro) para se afastar do assunto do segredo e passar para um assunto mais positivo; com isso, aquilo que foi compartilhado evanesce da mente consciente de Simon e ele se sente bem, sem remorsos por ter tido a conversa de "compartilhamento".

Sem perceber, Simon compartilhou informações muito importantes com um funcionário de uma empresa concorrente. Por quê? Simon se sentiu seguro por causa do ambiente em que estava. Se essa conversa tivesse acontecido na conferência, ou na frente de outros funcionários, Simon teria se lembrado psicologicamente de suas obrigações e lealdade.

Além disso, Stan compartilhou um segredo (falso) sobre o orçamento de pesquisa e desenvolvimento de sua empresa. Isso fez com que Simon sentisse que o relacionamento tinha progredido a ponto de compartilharem informações confidenciais. Surgiu, por isso, a obrigação do "um pelo outro", que ele retribuiu com outra informação igualmente confidencial. Além disso, como se formou um relacionamento secreto entre eles, e Simon "se abriu" uma vez, é bem provável que ele continue a compartilhar informações sensíveis com Stan. Na verdade, Simon pode até procurar Stan para lhe passar mais informações, pois agora Stan é seu amigo e confidente de elicitação; esse é o poder do "um pelo outro" e de uma elicitação eficiente.

Acredite: a incredulidade funciona!

A incredulidade pode ser uma ferramenta útil para se obter detalhes adicionais de um guardião de segredos, depois que este já revelou algumas informações. Para isso, você, de forma não agressiva, deve se mostrar incrédulo diante da revelação do guardião do segredo, para que este sinta a necessidade de qualificar ou comprovar que sua declaração está correta. Retomando o exemplo da seção anterior:

Simon diz: "Sobre mim, creio que nenhum. Você sabe que lido com vendas, e a empresa precisa de mais vendas, porque estamos perdendo lentamente a participação no mercado".

Stan diz: "Ah, sério?! Eu vi o material promocional que vocês estão dando na conferência, é melhor do que o nosso. Não parece que vocês estejam com dificuldades para ganhar dinheiro!".

Simon responde: "Mas é verdade. E, para ficar abaixo do radar, cortamos todos os custos internos para poder pagar mais marketing, pois precisamos de clientes. Um dos diretores perdeu o carro da empresa. Acho que este ano ninguém vai ganhar bônus".

Usando a incredulidade, Stan conseguiu obter mais detalhes de Simon. Se a empresa de Stan pensava em expandir por meio de uma aquisição hostil, a empresa de Simon ficava exatamente na mira!

A incredulidade pode ser usada em diversos ramos de negócios e em várias situações diferentes.

A incredulidade tem seus usos

- Investigadores internos, policiais e advogados podem se mostrar "incrédulos" diante de uma testemunha ou de um suspeito confesso, para obter uma corroboração adicional da admissão de culpa, de informações adicionais ou de circunstâncias. Por exemplo: "É verdade; eu vi. Pode conversar com o meu vizinho, ele viu a mesma coisa".

- Uma equipe médica pode "duvidar" de um paciente para obter detalhes adicionais sobre um histórico médico. "Sim, já tomei esse remédio antes; podem ligar para o consultório do dr. Wynne".
- Para obter um relato mais detalhado do evento, professores podem "questionar" um aluno que lhes diz que o estudante que normalmente é aplicado foi o culpado pelo incidente.
- Negociadores podem "duvidar" de uma oferta feita pelo outro lado, questionando sua capacidade de cumprir o que foi oferecido.

O uso da incredulidade é bastante aplicável quando um guardião de segredo compartilhou algumas, mas não todas, informações, e você deseja corroborar sua precisão ou obter mais dados.

Declaração falsa

A declaração falsa funciona de modo semelhante à incredulidade. Você precisa afirmar, deliberadamente, alguma coisa incorreta na frente do guardião do segredo, que então vai corrigir o que você disse; com isso, vai lhe dar alguma informação. Essa linha de elicitação funciona particularmente bem com pessoas egocêntricas, que se acham importantes, pessoas com mentalidade técnica (que geralmente não toleram a imprecisão) e, de modo geral, pessoas em posições elevadas na hierarquia das empresas. É uma linha difícil de lançar se você mesmo se enquadra numa dessas categorias, pois, até certo ponto, vai precisar "bancar o tolo" ou, no mínimo, fingir ignorância ou ingenuidade.

Anos atrás, Peter Falk fazia o papel de um personagem de televisão chamado Columbo, um detetive que usava muito bem essa técnica. Geralmente, ele se mostrava bem preparado para bancar o investigador distraído e atrapalhado, chegando a conclusões erradas ou fazendo suposições incorretas diante de testemunhas e suspeitos que não conseguiam deixar de corrigir o disparatado coroa. Ao fazê-lo, ele obtinha muitas informações com esses úteis guardiões de segredos e utilizava suas habilidades dedutivas de Sherlock Holmes para prender o bandido toda a semana – na verdade, por semanas e semanas ao longo de anos! Apesar de ser um personagem fictício, as reações humanas a declarações incorretas eram bem reais.

Usando declarações falsas em seu benefício

Você quer comprar outro carro e, por coincidência, encontra um gerente sênior da loja local numa festa. Ele terá informações ocultas valiosas, que poderão ajudá-lo em sua compra – mas ele é o guardião do segredo. Você está interessado em comprar um carro, mas não pode pagar o preço de um carro novo, ou não quer fazê-lo! Por isso, você se vale dessa oportunidade para obter dele informações ocultas sobre preços.

Depois de usar seu gancho para dar início à conversa, você diz ao gerente que o mercado atual deve estar difícil, pois as concessionárias têm uma margem pequena, de 1% ou 2% em cada veículo (sabendo que o lucro líquido fica entre 5% e 10%), e que, por isso, deve ser quase impossível ganhar a vida.

Então, o gerente vai lhe dizer que você está errado; a margem está mais para 5%, e ele tem ótimos incentivos para vender o novo modelo esportivo; por isso, ele encomendou mais um lote. Nesse momento, você usa outra declaração falsa e diz que isso certamente se deve ao fato de a moeda ter desvalorizado e, como esses modelos são importados, ficaram mais caros do que antes, o que reduziria a margem de lucro. Ele o corrige e diz que os carros entraram no país antes da desvalorização cambial, e por isso ele está conseguindo esse modelo mais barato do que as outras concessionárias, que o encomendaram mais tarde. Diz ainda que teve sorte, pois vai anunciá-los com base no preço com a moeda valorizada; por isso, vai lucrar 10% por unidade, no mínimo, e não 5% como as outras concessionárias.

Usando declarações falsas, você conseguiu descobrir muita coisa sobre a loja na qual quer comprar um carro novo e o vendedor que terá uma margem de lucro maior. Sabendo disso, você pode fazer uma negociação mais sólida com a loja, comprando o carro por um preço menor do que aquele que conseguiria em outra loja.

Quando você usa uma declaração propositalmente falsa, não há mal em entender errado ou desconhecer alguma coisa, mas é importante não dizer algo tão errado ou ingênuo que cause um impacto negativo em sua credibilidade aos olhos do guardião do segredo. Isso pode impedi-lo de compartilhar uma informação secreta com você. Para evitar que isso aconteça, você pode introduzir um terceiro elemento fictício na conversa, dizendo que a informação, a avaliação ou a declaração incorreta partiu dele; por exemplo, "Um amigo me disse que..." ou "Li num blog de carros que...". Isso vai proteger sua credibilidade, mas produzirá o mesmo resultado.

A linha de elicitação da declaração falsa pode funcionar muito bem como estratégia complementar para outras linhas, desde que sua credibilidade não seja afetada pelo excesso de ingenuidade.

Nunca mais vou ver você

Sabemos que as pessoas raramente guardam segredo, e que a tendência natural do ser humano é o impulso de divulgá-lo. Por isso, a maioria dos guardiões de segredo o conta a, no mínimo, uma pessoa. E aprendemos na *Parte Um* que muitas das pesquisas que investigam o motivo pelo qual guardamos segredos revelaram que queremos evitar consequências sociais prejudiciais para nós mesmos ou para os outros. De fato, um estudo mostrou que, em 92,8% dos casos, o motivo para manter um segredo foi proteger o guardião do segredo e as pessoas de seu círculo de relacionamento de consequências sociais negativas.[72] Isso deixa os guardiões de segredo numa posição em que podem equilibrar o impulso natural de compartilhar, com as consequências potencialmente daninhas do compartilhamento.

Um modo pelo qual um guardião de segredo pode compartilhar informações com risco reduzido de consequências é ter um único encontro com uma pessoa que ele nunca mais vai ver. Nessa situação, o guardião de um segredo alivia sua carga psicológica compartilhando o segredo, com uma chance reduzida ou nula de consequências sociais prejudiciais. Esse tipo de situação pode ocorrer numa conferência interestadual, num avião, trem ou ônibus, ou numa rara situação social ou profissional. Se você estiver numa situação na qual irá interagir apenas uma vez com um guardião de segredo, vale a pena reforçar o fato de que vocês nunca mais vão voltar a se ver. O guardião do segredo vai avaliar por conta própria as consequências reduzidas de compartilhar uma informação secreta com você nessa situação. Contudo, você também pode optar por dizer que sua situação comum representa uma oportunidade única para compartilharem informações confidenciais e obterem a opinião um do outro, sem o risco de outras pessoas descobrirem.

Encontros únicos

Você está numa festa longe de sua cidade, ou o guardião do segredo está na festa, vindo de outro lugar, e você descobre que essa pessoa tem uma informação secreta que você gostaria de obter. Nessa situação, vale a pena dizer ao guardião do segredo que, como vocês nunca vão voltar a se ver, você gostaria de compartilhar um segredo. Então, conte-lhe um segredo real ou inventado. O fato de você ter compartilhado um segredo vai criar uma sensação de conexão, e sua declaração vai fazer com que a pessoa reflita sobre sua própria situação e sobre a oportunidade de fazer o mesmo, ou seja, "Nunca voltarei a ver essa pessoa, e por isso posso contar meu segredo sem qualquer problema". Desse modo, o guardião do segredo vai se sentir mais livre para compartilhar uma informação sigilosa.

Uma oportunidade como essa nem sempre é usada para propósitos egoístas. Também é uma oportunidade fantástica para se expressar e dar o apoio necessário para o guardião do segredo, com uma visão externa sobre a informação secreta. Nesse caso, você pode simplesmente usar a situação e suas técnicas de elicitação para ajudar a pessoa (que você só vai encontrar uma vez) que está carregando um segredo pesado.

Escolha um inimigo em comum

Se você gosta de um time de futebol, vai ao jogo usando a camisa do time e se senta do lado de alguém vestido como você, isso lhe dá uma sensação agradável de propósito comum. Isso acontece sem que vocês troquem uma única palavra. Ambos estão do mesmo lado, e o desejo de vencer a outra equipe é algo que ambos compartilham. Se algum torcedor do outro time se sentar na frente de vocês, provavelmente isso aumentará a sensação de proximidade entre ambos. Se o torcedor do outro time levantar uma faixa (com as cores do time) e a agitar diante de vocês, obstruindo parcialmente a visão da partida, a sensação de proximidade aumentará ainda mais. Se esse outro torcedor do seu time se inclinar em sua direção e disser (sobre a faixa) "Que grosseria. Não dá para ver a partida direito!", provavelmente você assentirá com a cabeça e concordará com o comentário. Se o outro torcedor disser ao torcedor adversário para abaixar a faixa, você poderá até contribuir, dando apoio ao colega de torcida. Ambos têm um inimigo em comum.

Num contexto diferente, imagine-se na fila do *check-in* de um aeroporto, quando anunciam pelo alto-falante que seu voo vai atrasar duas horas, e o sujeito à sua frente diz: "Acredita nisso? O voo vai atrasar duas horas, no mínimo, e da última vez em que disseram isso demorou mais uma hora ainda". Você pode se sentir inclinado a concordar ou a oferecer um comentário crítico similar sobre a companhia aérea, realçando seu propósito comum contra um adversário.

O ditado "o inimigo de meu inimigo é meu amigo" aplica-se à elicitação. Coloca vocês imediatamente do mesmo lado, compartilhando os mesmos sentimentos com relação ao mesmo assunto e ao mesmo tempo. Isto, como você se recorda de nossa discussão anterior, cria um vínculo emocional, que ajuda a fazer fluir a informação entre duas pessoas. Surpreendentemente, esse tipo de vínculo é mais forte quando duas pessoas enfrentam um adversário comum; bem mais do que quando dois indivíduos simplesmente concordam e gostam da mesma coisa.

Tomando partido

Se o guardião de um segredo expressa sua preferência por determinado cantor, concordar com ele ajuda a formar um vínculo, pois vocês têm alguma coisa em comum, mas isso não é tão forte quanto se o guardião do segredo disser com que intensidade não gosta desse cantor, e ambos sentem isso. Se você está numa situação na qual um guardião de segredo expressa descontentamento ou aversão por alguma coisa, concordar com ele vai mostrar empatia emocional, aumentando o vínculo.

É interessante perceber que há pesquisas que mostram que a raiva fortalece as pessoas, pois remove barreiras que impediriam certas ações ou que previnem o fluxo de informações na ausência desse sentimento. Com certeza você não quer que o guardião do segredo fique com raiva de você – *mas* se ele sentir raiva de outras pessoas junto com você, poderá ser uma experiência de unificação, formando um vínculo de considerável vigor.

Se o guardião de um segredo expressou aversão por uma função específica, ou por alguma área de uma empresa, é bom deixá-lo expressar sua raiva e frustração com você, dar apoio a esses sentimentos e espelhá-lo psicologicamente. Isso servirá de catarse para o guardião do segredo e aproximará psicologicamente vocês dois; nesse ponto, a barreira que costuma ser mantida como proteção da informação oculta é retirada. Todavia, se um guardião de segredo ficar com muita raiva, pode associar você com essa emoção da próxima vez em que se encontrarem. Portanto, caso a pessoa pareça estar ficando emocional demais, acalme-a e dirija a conversa para um assunto mais positivo.

Durante sua conversa, procure pessoas, lugares ou coisas sobre as quais o guardião do segredo tenha sentimentos negativos fortes, pois quanto mais intensas suas emoções, mais próxima a pessoa se sentirá de você quando concordar com sua opinião.

Isoladamente, essa técnica de elicitação raras vezes é adequada, mas, quando usada em conjunto com linhas de elicitação adicionais, pode dar a seus esforços uma vantagem clara.

Exclusivamente seu!

Às vezes, os seres humanos são difíceis de entender. Quando há coisas em abundância, não sentimos a urgência de tê-las. No entanto, quando algo é exclusivo, escasso ou de oferta reduzida, nós o queremos. Queremos mesmo, e muito.

Quanto mais exclusivo algo se torna, maior o valor atribuído a isso. Por exemplo, réplicas de pôsteres de *shows* do Elvis Presley são impressas aos milhares, e os colecionadores consideram-nas sem valor algum.

Mas vão pagar uma importância significativa por um pôster original, mais ainda por um pôster original assinado, e uma pequena fortuna pelo último pôster assinado por Elvis. Ao que parece, equiparamos raridade e valor. Quanto menor a quantidade de alguma coisa, mais valiosa ela é para nós.

Quero essa coisa porque não posso tê-la

A lâmpada de filamento incandescente tem estado entre nós, sob diversas formas, desde o século XIX. Ao longo de várias décadas, as vendas desses bulbos luminosos permaneceram estáveis, com poucas oscilações no mercado. Esses globos funcionais, mas pouco inspiradores, eram vendidos em grande quantidade, eram baratos e encontrados por toda parte. Em 2005, porém, as coisas mudaram. Vários países começaram a planejar a substituição da lâmpada incandescente pelas lâmpadas fluorescentes compactas (LFC) ou por lâmpadas de LED, para minimizar custos financeiros e ambientais.

Quando se anunciou na Alemanha que a lâmpada incandescente seria proibida, as vendas aumentaram em 34%.[73] Esse pico no mercado foi replicado na maioria dos países como reação aos anúncios, mostrando o maior aumento em vendas já visto para o bulbo luminoso que, em breve, se tornaria raro. Quando se soube que essas lâmpadas não seriam mais encontradas em abundância, as pessoas desejaram-nas mais do que nunca, apesar de haver um suprimento adequado de substituição, indicando que nunca haveria falta de bulbos luminosos do tipo LFC.

Do mesmo modo, na década de 1980, devido à queda em sua participação no mercado, a Coca-Cola realizou um extenso programa de desenvolvimento e de pesquisa de mercado para produzir a nova fórmula do refrigerante, inclusive com 200 mil testes de degustação. Segundo os testes, 55% dos participantes preferiram a "nova" Coca à versão original. A maioria dos testes foi realizada às cegas; porém, quando os participantes sabiam qual era a nova Coca, o índice de satisfação subia para 61%!

Os executivos da Coca-Cola devem ter ficado muito empolgados com os resultados dos testes, que mostraram que a maioria preferia a "nova" fórmula, e presumiram que esses 6% adicionais foram o resultado do desejo de mudança dos participantes por algo novo. Mas estavam enganados! Fizeram uma interpretação errônea, o que foi crucial; o que estavam testemunhando de fato era que os participantes queriam a Coca que ainda ia ser lançada, e que, na época, era muito exclusiva. Os 6% adicionais não eram o desejo por algo novo, mas o desejo de ter algo escasso e exclusivo.

Coerentemente com o princípio da escassez e da exclusividade, quando a "nova" Coca chegou às prateleiras, em 1985, inicialmente as vendas aumentaram 8%, enquanto a "nova" Coca ainda era relativamente nova e rara. No entanto, quando a "nova" Coca inundou o mercado, as vendas despencaram e os protestos aumentaram. As pessoas começaram a guardar grandes quantidades da Coca original, que estava sendo substituída lentamente nas prateleiras; estava se tornando rara. A Coca original, aquela cuja participação de mercado estava em queda, era agora a Coca que as pessoas não poderiam mais obter, e, por isso, tornou-se sua preferida. A resposta do mercado foi tão significativa que, em 10 de julho de 1985, menos de três meses após o lançamento da "nova" Coca, foi anunciado que a Coca original voltaria às prateleiras.

O impulso que move as pessoas quando pensam que vão perder alguma coisa, ou que terão um acesso limitado a uma oportunidade rara, é, ao mesmo tempo, competitivo e convincente, e, como tal, é um aspecto da natureza humana focado pelos anunciantes. Equipes de marketing astutas produzem campanhas de sucesso com textos como "somente esta noite" ou "turnê de despedida", para enfatizar que está ficando mais difícil assistir a determinado espetáculo. Esse desejo de ter o que é escasso não se limita a itens de coleção ou aos ricos e famosos. Pense nas multidões que se enfileiram diante das lojas quando há uma liquidação anual ou de fechamento, geralmente acompanhada de anúncios como "Corra! Acaba amanhã!" ou "Última chance de conseguir uma pechincha!".

O motivo pelo qual essas frases típicas de liquidação são usadas é que funcionam e continuam a funcionar na psique humana. Quando alguma coisa é promovida como "edição limitada" ou "válida por tempo limitado", sejam carros, moedas, selos, camisas, estampas, até mesmo um tipo de sanduíche ou de bebida, as vendas sobem. Quanto mais a oferta é limitada, mais as pessoas desejam o item.

Isso se aplica a informações? As pessoas buscam informações raras e exclusivas? Sim, buscam, e um estudo realça particularmente bem esse ponto. Quando compradores atacadistas de carne nos EUA foram informados de que as condições climáticas na Austrália poderiam reduzir a quantidade de carne australiana disponível, os pedidos duplicaram.[74] Mas, quando os atacadistas souberam que a informação veio de uma fonte exclusiva, as vendas aumentaram 600%![75]

Analogamente, informações supostamente "privilegiadas" sobre uma empresa ou mesmo a respeito de uma moeda, que entram no mercado de ações, têm um impacto sobre os preços das ações. Para a maioria das pessoas, se a informação é exclusiva ou desconhecida da maioria, ganha credibilidade na mesma hora e torna-se convincente.

Assim como oportunidades raras e coisas exclusivas são desejadas pelas pessoas quando são escassas, quanto mais exclusiva a informação, maior sua influência. Usamos isso ao interagir com guardiões de segredos, mostrando como o relacionamento é exclusivo: "Para nossa sorte, nosso relacionamento é de confiança e podemos compartilhar informações um com o outro – relacionamentos assim são raros".

Além disso, ao compartilhar um segredo com um guardião de segredo, para fazer com que ele retribua e revele sua própria informação secreta, será vantajoso lembrar que sua informação é exclusiva.

De fato, a estratégia de contar ao guardião do segredo que você quer passar para ele uma informação que nunca contou a ninguém, mas que não tem certeza se deve compartilhá-la, vai fazer com que ele realmente queira saber o que é. É uma informação que será exclusivamente dele, caso consiga obtê-la de você.

Depois de compartilhar a informação, enfatize que ela é exclusiva e confie no efeito "um pelo outro", para obter do guardião do segredo uma informação também exclusiva e oculta. Estratégias similares podem ser úteis quando proporcionamos apoio, conselhos e orientação a guardiões de segredos; por exemplo, ao reforçar como esse relacionamento é único e que as informações compartilhadas entre vocês são exclusivas desse relacionamento.

Puxa, você é importante mesmo, por favor, fale mais sobre isso!

Se existe um guardião de segredo ideal de quem se possa conseguir informações, trata-se daquela pessoa que sente a necessidade de impressionar os outros. Obter informações de pessoas assim é como tirar doces de um bebê – o que nem mesmo é uma meta válida para elicitações! Fazendo perguntas simples, podemos provocar esse tipo de pessoa e levá-la a nos impressionar com seus conhecimentos. Para isso, você precisa se mostrar muito interessado, ansioso por aprender e quase hipnotizado pelo conhecimento da pessoa durante a conversa genérica, levando-a lentamente para a área do segredo.

Quando a conversa chega nesse ponto sensível, fica difícil para a pessoa se transformar subitamente, passando do sabichão que domina a situação para uma postura defensiva e reservada. Esse tipo de pessoa adora o som da própria voz e de estar no centro das atenções. Quando você faz uma dessas pessoas falar (o que não costuma ser difícil), ela tem dificuldade para passar a palavra para outros, até quando a conversa chega na área do assunto sigiloso.

A oportunidade de impressionar paralisa o juízo dessas pessoas, a ponto de a noção de privacidade, lealdade à empresa e confidencialidade, delas ou dos demais, ficar em segundo plano. Deixe-as falar (impressionando-o!) com um "Nunca soube disso!", "Que incrível", "Você sabe de mais alguma coisa, ou isso é tudo?".

Para conseguir mais informações, você pode até fazer uma pergunta hipotética ao guardião do segredo, que você considera (fingidamente) complexa ou interessante, pedindo o conselho ou a opinião dessa pessoa. Por exemplo: "Se sua empresa estivesse...", ou "Se o seu diretor-geral ficasse doente e você assumisse a empresa, que mudanças você faria?", ou "Talvez você não consiga me ajudar, mas eu estava pensando que, se aparecesse um novo investidor...". Esse tipo de pergunta faz com que o "oráculo" compartilhe informações muito valiosas sobre o funcionamento interno de uma empresa. A mesma estratégia pode ser aplicada a qualquer guardião de segredo que sinta a necessidade de impressionar.

Profissionais, pesquisadores, pessoal técnico e executivos seniores com acesso a informações sensíveis podem ser vulneráveis à linha "Puxa, você é importante mesmo", quando seu ego não está no controle.

ESCOLHENDO UMA SINCRONIA

Você usou um excelente gancho de elicitação e o guardião do segredo foi atraído imediatamente por sua conversa. Você lançou algumas linhas de elicitação (elogios, "um pelo outro" etc.) e, como resultado, você e o guardião do segredo compartilham, agora, um vínculo sólido; ele começou a se abrir para você e está compartilhando informações. Da próxima vez que encontrá-lo, você não vai querer ter de começar do zero para restabelecer o vínculo com ele. Por isso, você vai começar a procurar sincronias, com um propósito simples – sincronizar os sentimentos positivos e o vínculo íntimo entre uma conversa e a seguinte.

O ideal é começar a conversa seguinte exatamente do mesmo modo como você terminou a anterior, para que a interação comece tão positiva e animadamente quanto o término da outra. Para isso, devemos reafirmar a plataforma interpessoal de compartilhamento, tornando a ativar os aspectos positivos da primeira interação. Em outras palavras, queremos levar o guardião do segredo a se lembrar das posturas emocionais e/ou dos "sentimentos" positivos do contato anterior. Quando você estiver conversando com o guardião do segredo pela primeira vez, registre trechos da conversa diante dos quais a pessoa reage de forma bem positiva ou revela subitamente uma informação – essas são as sincronias.

As sincronias se destacam durante a conversa, pois o guardião do segredo vai reagir alegremente e/ou começar a compartilhar informações mais íntimas do que todas as outras informações oferecidas ao longo da conversa. O que quer que tenha provocado essa reação é uma sincronia e deve ser usada na próxima reunião que tiverem.

As sincronias podem ocorrer durante uma conversa em resposta a:

- Alguma coisa que você diz, ou
- Alguma coisa dita pelo guardião do segredo.

Se, por algum motivo, vocês conversavam e a pessoa mencionou que o cãozinho de estimação dela morreu recentemente, tornando-se emotiva, você tornaria a falar sobre esse assunto novamente? Claro que não, pois provavelmente perturbaria a pessoa de novo. Essa é uma sincronia negativa.

O mesmo princípio se aplica a sincronias positivas. São estas que você deve selecionar na primeira conversa e usar na segunda conversa. Escolha trechos da primeira conversa nos quais vocês se sentiram particularmente próximos e replique-os na psique do guardião do segredo logo no começo da segunda conversa. Isso deve sincronizá-los imediatamente, evocando a proximidade da primeira conversa.

Sincronizando com alguém

Imagine que, durante a conversa, você mencionou o humorista norte-americano Jerry Seinfeld, dizendo que ele é ótimo, e o guardião do segredo reagiu sorrindo, contando-lhe que assistiu a todos os episódios da serie *Seinfeld*; isso é uma sincronia. Se as circunstâncias permitirem, você pode obter uma sincronia ainda mais eficiente perguntando qual episódio a pessoa considerava mais engraçado, comentando-o depois. Se, por exemplo, a pessoa mencionar uma frase engraçada ou um trecho do episódio, você terá uma sincronia ainda melhor, pois trata-se de um elemento muito positivo na mente do guardião do segredo.

Talvez o guardião do segredo lhe diga que acha engraçado quando Jerry diz "Oi, Newman", em tom de desprezo, para o carteiro rotundo. É uma excelente sincronia. Da próxima vez em que se encontrarem, você pode até dizer "Oi, Newman" para o guardião do segredo, a fim de reativar as emoções alegres da pessoa com relação ao episódio; o importante é que isso também reativa os mesmos sentimentos compartilhados sobre esse fato. Isso vai reforçar o vínculo emocional com a conversa anterior. Vai deixá-los em sincronia.

Embora, normalmente, seja o ideal, a sincronia não precisa ser sempre alegre; basta ser alguma coisa na conversa que fez com que ambos compartilhassem uma informação oculta.

Você pode, por exemplo, ter mencionado que sua supervisora dá apoio para os subordinados. O guardião do segredo responde dizendo que seu supervisor não gosta dele, e começa a compartilhar detalhes sobre alguma atividade de sua empresa; a sincronia é o supervisor do guardião do segredo. Da próxima vez em que se encontrarem, usando espelhamento psicológico e sincronia, vocês vão voltar diretamente ao estado anterior de compartilhamento. Por exemplo, você pode usar esta sincronia: "Minha supervisora não me apoia mais como antes; para dizer a verdade, ela mal percebe como tenho me esforçado nestes últimos dias". Isso deve fazer com que o guardião do segredo comece imediatamente a falar de seu supervisor e de detalhes de sua empresa.

O assunto da sincronia não precisa ser, necessariamente, aquele sobre o qual você deseja informações sigilosas; basta que seja um tema no qual se trocam mais informações íntimas do que o normal.

Se o guardião do segredo começa a falar com carinho da família, dê andamento à conversa e compartilhe histórias familiares semelhantes. Qualquer compartilhamento é um bom compartilhamento. Depois, dirija a conversa para a informação sigilosa. Mas lembre-se de que, nesse momento, a sincronia é a família; por isso, quando vocês se encontrarem novamente, fale dessa sincronia com algum comentário sobre sua família. Isso vai colocar os dois numa plataforma de compartilhamento, e você pode poupar todo o trabalho investido anteriormente para chegar a esse mesmo ponto na conversa anterior.

Consulte a seção "Espelhamento psicológico: dois espelhos num elevador", na *Parte Dois*, para ver um exemplo de uma sincronia eficiente.

Sempre que perceber que um guardião de segredo reagiu positivamente, ou começou subitamente a compartilhar informações, preste atenção no motivo dessa atitude e use essa sincronia numa conversa posterior. Quando se encontrarem de novo, ela vai colocá-los imediatamente no estado de compartilhamento da conversa anterior.

PRINCIPAIS TÓPICOS DA PARTE TRÊS

- "Gancho de elicitação" é uma técnica usada para "fisgar" imediatamente o guardião do segredo numa conversa.
- O gancho de elicitação tem dois elementos críticos:
  1. Declaração: parte do gancho, que deve ser um ponto de interesse mútuo; um ponto comum que você e o guardião do segredo compartilham, ou com o qual concordam.
  2. Pergunta: o componente da pergunta deve levar o guardião do segredo a conversar com você.
- "Linha de elicitação" é uma técnica ou estratégia usada para influenciar um guardião de segredo a se abrir (além do gancho) e falar com você.
- Quando usamos linhas de elicitação, é indispensável que o guardião do segredo acredite em sua sinceridade. Um vínculo emocional se rompe muito depressa quando o guardião do segredo acha que você não está sendo sincero.
- Entre as técnicas mais eficazes de elicitação, temos:
  - Elogios.
  - Compartilhamento de um segredo inventado para descobrir um segredo real.
  - "Um pelo outro" – reciprocidade.
  - Acredite: a incredulidade funciona.
  - Declaração falsa.
  - Nunca mais vou ver você.
  - Escolha um inimigo em comum.
  - Exclusivamente seu!
  - Puxa, você é importante mesmo, por favor, fale mais sobre isso!

- O elogio deve ser usado com parcimônia, pois as pessoas sabem detectar falsos galanteios. A linha de elicitação elogiosa é mais eficiente quando usada sutilmente, e, quando possível, através de outra pessoa com quem o guardião do segredo se identifique.
- Nunca compartilhe um segredo sobre outra pessoa com um guardião de segredo, pois isso pode levá-lo a refletir sobre sua capacidade de guardar sigilo.
- Se quiser reforçar sua capacidade de manter segredos sem precisar dizer "pode confiar em mim" (que nunca funciona!), experimente dizer: "Bem, uma vez alguém me disse algo confidencial sobre esse assunto, mas não posso falar sobre isso, porque eu disse que não revelaria a informação a ninguém". Isso é muito mais eficiente, pois o guardião do segredo vai usar declarações como essa como um parâmetro ao medir sua confiabilidade e avaliar se ele deve compartilhar uma informação com você.
- O modo mais rápido de alavancar um novo relacionamento e construir um vínculo com alguém é adicionar o ingrediente do sigilo ao relacionamento. Compartilhar um segredo exclusivo pode amplificar a atração entre duas pessoas.
- O propósito de uma sincronia é sincronizar os sentimentos positivos e o vínculo íntimo entre uma conversa e a seguinte.
- As sincronias se destacam durante a conversa, pois o guardião do segredo vai reagir alegremente e/ou começar a compartilhar informações mais íntimas do que todas as outras liberadas ao longo da conversa. O que quer que tenha provocado essa reação, trata-se de uma sincronia e deve ser usada na próxima reunião que tiverem.

JUNTANDO TUDO:
Desvendando segredos para solucionar um crime de verdade

O exemplo a seguir vem de uma investigação criminal real e sob disfarce, feita sobre o assassino em série Robert William Pickton, após sua prisão, perto de Vancouver, em 5 de fevereiro de 2002. Os detalhes dessa investigação foram guardados durante muitos anos. Entretanto, agora posso divulgar este relato detalhado sobre a maneira como um agente disfarçado conseguiu desvendar os segredos muito perigosos da mente de um assassino em série. Depois de ler este exemplo, você vai perceber que algumas das técnicas de elicitação de que falamos foram usadas de maneira sutil e eficiente. Agora, você tem, em primeira mão, a chance de ver como essas técnicas podem ser eficazes, mesmo com uma pessoa que, até então, tinha mantido suas atividades em segredo de todos que conhecia. As técnicas são tão eficazes que influenciaram Pickton a compartilhar seus maiores segredos com uma pessoa absolutamente estranha.

Atenção, este exemplo de crime real contém linguagem ofensiva.

Vancouver, Canadá, 5 de fevereiro de 2002

Durante o dia, a Real Polícia Montada do Canadá (RPMC) recebeu a informação de que Robert William Pickton tinha armas de fogo ilegais em sua decrépita fazenda de criação de porcos em Port Coquitlam, a cerca de trinta minutos de carro do centro de Vancouver.[76]

Por volta das 20h30 daquela noite fria, uma pequena equipe de membros da RPMC, amparada num mandado de busca de armas ilegais, entrou na fazenda de Pickton. Às 20h35, cinco membros da

Equipe de Entrada derrubaram a porta da frente da construção precária e prenderam Pickton. Ele foi levado à delegacia, e a busca começou. As armas ilegais foram encontradas quase de imediato, mas havia muitas outras coisas a se encontrar na fazenda de criação de porcos de Pickton...

Num quarto, um policial encontrou a certidão de nascimento de uma tal Heather Bottomley. Pouco depois, o policial que vasculhava o escritório de Pickton abriu uma mala cinzenta de viagem, com algumas peças, inclusive calças femininas de ginástica e um inalador para asma com o nome da paciente, Sereena Abotsway, escrito na etiqueta.

Essas duas mulheres tinham sido consideradas desaparecidas na zona leste de Vancouver, uma área pobre onde drogas, prostituição, assaltos e violência imperavam. Os dois nomes faziam parte de uma longa lista de mulheres desaparecidas naquela área. Na verdade, durante anos desapareceram prostitutas, num ritmo tão alarmante que foi formada uma unidade policial conjunta especial, a British Columbia Missing Women Investigation (Departamento de Investigação de Mulheres Desaparecidas da Colúmbia Britânica). O departamento não identificou o agressor ou os agressores responsáveis, embora houvesse muitos relatos sugerindo que um assassino em série estava atacando as prostitutas da região.

No dia seguinte à busca na fazenda (6 de fevereiro de 2002), cerca de dezesseis horas após sua prisão, Pickton foi acusado de delitos ligados à posse de armas e solto mediante fiança. Contudo, não permitiram que voltasse à fazenda, pois a RPMC ainda estava realizando buscas lá, agora sob um novo mandado – relacionado à longa lista de mulheres desaparecidas. A imprensa se aferrou à história, e a fazenda, ainda guardada pela RPMC, ficou cercada por repórteres e equipes de televisão.

Dezesseis dias depois, em 22 de fevereiro de 2002, Pickton foi detido e acusado formalmente pelo assassinato de duas mulheres desaparecidas. Embora negasse qualquer envolvimento, a polícia suspeitava que ele fosse responsável por um número muito maior de homicídios.

Depois de acusado, Pickton foi levado à cela pelos guardas. Estava com 51 anos, barba por fazer e quase totalmente calvo, a não ser pelos cabelos longos, sujos e desgrenhados que pendiam da parte posterior de sua cabeça. Pickton estava sujo e malcheiroso, mas rejeitou a oferta da polícia para tomar um banho. O policial tomou suas roupas, deu-lhe uma camiseta branca nova e calças de moletom cinzentas, encaminhando-o até sua cela.

A cela pintada de creme tinha cerca de 3 metros quadrados, com um banco de cimento em forma de U, em torno de suas três paredes, formando duas camas, incluindo uma pia e um vaso sanitário básico. O lado restante continha a porta da cela, que se abria para um corredor. Assim que foi conduzido pelo corredor pelos guardas, viu que seu colega de cela era um criminoso de aparência durona, que na mesma hora gritou furioso para os guardas, dizendo que queria falar com seu advogado e reclamando por estarem levando outra pessoa para sua cela. Pickton entrou na cela e se sentou discretamente na cama vaga. O que ele não sabia era que seu agressivo companheiro de cela era, na verdade, um membro da RPMC disfarçado...

Trabalhei com membros disfarçados da RPMC e treinei vários deles no Canadá, e, na minha opinião, são alguns dos melhores agentes disfarçados do mundo. A identidade desse agente foi, evidentemente, removida da transcrição apresentada a seguir. Todavia, posso lhe contar que ele recebeu poucas instruções ou informações sobre sua tarefa repentina de atuação sob disfarce e seus requisitos. Só lhe disseram que ele ia dividir a cela com um suspeito de 51 anos, que tinha sido preso sob a acusação de dois homicídios. Além disso, ele estudou a peça de acusação de Pickton.[77] Sem o benefício importante de uma boa fase de pesquisa (veja a *Parte Quatro*), o agente teve de confiar simplesmente em suas técnicas de elicitação indireta (as mesmas de que falamos na *Parte Dois* e *Três*), para ver se Pickton compartilharia suas informações ocultas com ele e com a câmera e os aparelhos de gravação escondidos na cela.

Relacionei a seguir diversos trechos das conversas gravadas e realizadas ao longo de três dias após a prisão de Pickton.[78] Como se trata da transcrição completa de uma operação policial real, e como costuma acontecer, vários segmentos da conversa não são audíveis em virtude de dificuldades técnicas ou de os dois falarem ao mesmo tempo. Assim, há lacunas na conversa. No entanto, o histórico apresentado acima deve ajudá-lo a compreender o contexto das conversas.

Ao ler as conversas, você perceberá que, em função das habilidosas técnicas de elicitação indireta do agente, e do exitoso espelhamento psicológico, o relacionamento entre Pickton e o agente muda. Começa com dois estranhos, e Pickton ocultando informações e negando qualquer envolvimento nos assassinatos; tornam-se dois confidentes, com Pickton contando que matou 49 mulheres e como dispôs de alguns dos corpos. O agente se tornou, com sucesso, "aquela pessoa" para Pickton.

Atenção, este exemplo de crime real contém linguagem ofensiva.

Primeiro trecho

Espelhamento psicológico e linha de elicitação "Escolha um inimigo em comum"

Robert Pickton: Estão dizendo que vão me prender por um assassinato e por duas acusações.

Agente disfarçado: Hum. Que foda. Isso é uma porra duma merda muito pesada, né...

Robert Pickton: Pois é. Às vezes os inocentes vão em cana.

Agente disfarçado: Às vezes? Tá brincando. Precisam provar essa porra primeiro. É, vou te contar.

Robert Pickton: O quê?

Agente disfarçado: Eles precisam provar essa porra.

Robert Pickton: Não, não precisam provar nada. Não precisam provar nada.

Agente disfarçado: E o que eles vão fazer? Não podem foder você preso aqui, se não têm nada contra você, sabia, cara?

Robert Pickton: Eles armam pra gente. Armam pra gente.

Agente disfarçado: Você acha?

Robert Pickton: Foda-se o que é certo. Eles são tiras e jogam sujo.

Agente disfarçado: Não dá pra confiar nos tiras, cara; pode crer.

Robert Pickton: São uns porras duns tiras e não dá pra confiar nesses babacas.

Agente disfarçado: Você tá certo nisso, cara... Você é um cara fudido mesmo, pode apostar nisso.

Robert Pickton: Eles vão, eles podem documentar qualquer coisa.

Agente disfarçado: Aposte que vão tentar mesmo. É foda, com certeza vão.

Robert Pickton: Vão sim. Me pegaram por... humm... um assassinato, duas acusações.

Agente disfarçado: Humm.

Robert Pickton: E não sei de nada sobre isso.

Segundo trecho

Espelhamento psicológico e linhas de elicitação "Acredite: a incredulidade funciona" e "Elogio"

Robert Pickton: Sou só um fazendeiro que cria porcos. (Balançando a cabeça.)

Agente disfarçado: Criador de porcos? Então, você é o porra do cara que... (refere-se a relatos feitos pela imprensa). Tá bom, sei, sei. Você não parece ser nenhum porra de criador de porcos...

Robert Pickton: Fui trabalhar e (indecifrável)... de repente, então, pegaram minha arma, agora estou em cana.

Agente disfarçado: Cara, isso não tá certo.

Robert Pickton: Agora estão tentando me acusar de cinquenta assassinatos. A porra de cinquenta assassinatos. Vão se foder.

Agente disfarçado: Tão fudidos. Não podem.

Robert Pickton: A porra de cinquenta assassinatos, eu?

Agente disfarçado: Cara... Ainda não tô te acreditando, cara.

Robert Pickton: Hein?

Agente disfarçado: Merda, ainda não acredito. Você tá achando que sou idiota! É como eu disse, olha só pra você.

Terceiro trecho

Linhas de elicitação "Elogio" e "Puxa, você é importante mesmo, por favor, fale mais sobre isso!"

Robert Pickton: Essa porra de mundo todo me conhece. Até em Hong Kong, toda parte. Até em Hong Kong.

Agente disfarçado: Vai se foder, eu nunca soube que você era famoso no mundo inteiro.

Robert Pickton: Como é?

Agente disfarçado: Você é famoso, cara. Vai se foder, não é tudo isso.

Robert Pickton: Até Hong Kong.

Agente disfarçado: Vá se foder, daqui a pouco você vai ser comparado ao rei Tut ou Saddam Hussein e esses sujeitos.

Robert Pickton: Até que é legal ser comparado com o Saddam...

Quarto trecho

Enfatizando semelhanças e linha de elicitação "Comparti-lhando um segredo inventado para descobrir um segredo real"

Robert Pickton: E você, por que tá aqui?

Agente disfarçado: Quer saber mesmo? Quer saber o quê? Tá bom, cá entre nós, tô aqui por causa dumas encrencas na costa leste.

Robert Pickton: Foi o quê, tem a ver com mandados de violação?

Agente disfarçado: Eu não, nada dessa porra de mandado. Merda, foi coisa ruim.

Robert Pickton: Que tipo de coisa?

Agente disfarçado: Adivinha. Por que você tá aqui?

Robert Pickton: Cara, recebi duas acusações de assassinato, duas acusações contra mim.

Agente disfarçado: Merda, tô afundando, foda-se, foi uma porra de uma tentativa de assassinato...

Robert Pickton: Tentativa de assassinato?

Agente disfarçado: É, lá na costa leste.

Quinto trecho

Linha de elicitação "Um pelo outro – reciprocidade"

(As refeições acabam de ser levadas à cela, com xícaras de café. O agente disfarçado faz um favor para Pickton. Sem poder retribuir o favor de forma similar, mais tarde Pickton lhe dá uma informação.)

Agente disfarçado: Que é isso? (referindo-se à refeição)

Robert Pickton: Sei lá.

Agente disfarçado: Essa merda de feijão, parece.

Robert Pickton: Esta (indecifrável). Argh, café!

Agente disfarçado: Você não bebe café?

Robert Pickton: Não.

Agente disfarçado: Sério?

Robert Pickton: É.

Agente disfarçado: Por que não diz pra eles que quer um suco, outra coisa? Eles arranjam.

(*Minutos depois*)

Agente disfarçado: Guarda! Dá pra arrumar um suco ou uma água ou alguma outra coisa?

Guarda: Não, tem água lá na torneira... Bom, vou ver se tem suco.

Agente disfarçado: Quer uma xícara?

Robert Pickton: Não bebo café.

Agente disfarçado: Ele não gosta de café.

Guarda: Não bebe café?

Agente disfarçado: Não.

Guarda: Tá bom, vou ver se encontro um suco.

Sexto trecho

Excelente espelhamento psicológico e linha de elicitação "Elogio"

(O agente percebe que Pickton tem grande respeito pelo irmão e espelha Pickton psicologicamente, criando um forte vínculo psicológico.)

Agente disfarçado: Cara, tudo bem, mas você precisa proteger a porra do teu rabo, ouça o que digo.

Robert Pickton: Foi o que meu irmão me disse.

Agente disfarçado: Você acha que esses malditos caras vão se preocupar com seu rabo?

Robert Pickton: É isso que preocupa meu irmão.

Agente disfarçado: Bem, parece que seu irmão é um sujeito esperto; ele sabe das coisas.

Robert Pickton: Verdade.

Agente disfarçado: Ele sabe como as coisas funcionam.

Robert Pickton: Ele me disse que tô ferrado.

Agente disfarçado: Cara, você precisa pegar uma merda de um avião e ir pra porra de Cuba ou algum lugar assim.

Robert Pickton: Sou só um criador de porcos.

Agente disfarçado: Não é mais, meu amigo.

Robert Pickton: O mundo todo me conhece agora.

Agente disfarçado: É isso aí; você é fodido, hein... virou meio que uma lenda.

Robert Pickton: É mesmo. Não importa aonde eu vá.

Sétimo trecho

Enfatizando semelhanças, espelhamento psicológico e linha de elicitação elogiosa

Agente disfarçado: Você é desses tipos certinhos, um bom trabalhador.

Robert Pickton: É o que sou, só um cara da fazenda.

Agente disfarçado: Eu sei como é trabalhar em fazenda. Passei alguns anos numa fazenda.

(*Pausa*)

Agente disfarçado: Eram dias divertidos.

Robert Pickton: Se eram.

Agente disfarçado: Crescendo.

Robert Pickton: Pois é, quando a gente está crescendo.

Agente disfarçado: É o que a gente faz, especialmente quando cresce na fazenda, né?

Robert Pickton: É. Mas eu... ah... parei.

Agente disfarçado: A gente pulava dos fardos no monte de feno...

Robert Pickton: Sempre trabalhei muito.

Agente disfarçado: Precisa gostar do trampo, se você vive na fazenda.

Robert Pickton: Verdade.

Agente disfarçado: Pegar água...

Robert Pickton: Seis e meia da manhã e você acorda.

Agente disfarçado: Pois é, todas aquelas tarefas.

Robert Pickton: Levanta e vai lá ordenhar as vacas.

Agente disfarçado: É.

Robert Pickton: Volta, se lava e se prepara pra escola.

Agente disfarçado: Isso aí.

Robert Pickton: Volta da escola, sai e ordenha as vacas de novo.

Agente disfarçado: Isso. Dá comida pras porras das vacas, leva água pra elas.

(*Pausa*)

Robert Pickton: É duro, muito duro.

Agente disfarçado: Esse é o tipo de... bem, você trabalhou muito, tem razão. É assim que a gente paga as coisas, que você faz sucesso, que você ganha a merda do dinheiro.

Robert Pickton: Agora tô em cana por homicídio, vou perder tudo.

Agente disfarçado: Não parece justo.

Robert Pickton: Perco tudo, perco tudo, tudo pelo que trabalhei.

Agente disfarçado: Mas não podem tirar a porra do seu trabalho de você, cara.

Robert Pickton: Faria tudo de novo amanhã, as mesmas coisas, ajudar as pessoas, tudo isso.

Agente disfarçado: Não deixe isso mudar você.

Robert Pickton: Hein?

Agente disfarçado: É, não deixe isso mudar você, seja lá quem você for.

Robert Pickton: É. Não vou mudar muito. Não vou mudar muito não.

Agente disfarçado: É. Bom, parece que você teve uma vida boa de verdade, como me falou.

Oitavo trecho

Linhas de elicitação "Compartilhando um segredo inventado para descobrir um segredo real" e "Um pelo outro — reciprocidade"

(Ao compartilhar um segredo inventado, o agente induz Pickton a compartilhar uma informação similar, sentindo-se obrigado a retribuir. A partir deste ponto, Pickton aumenta a quantidade de informação que está preparado para compartilhar; ele confessa como se livrou de alguns dos corpos, e que matou 49 pessoas.)

Agente disfarçado: Pra ferrar com alguém tem que fazer direito. Pra mim, o melhor jeito de me livrar de um porra qualquer (*referindo-se a um cadáver*) é jogar no mar.

Robert Pickton: Mesmo?

Agente disfarçado: Cara, você tem noção do que a porra do mar faz com as coisas? Não sobra muita coisa.

Robert Pickton: Fiz melhor do que isso.

Agente disfarçado: Quem?

Robert Pickton: Eu.

Agente disfarçado: Sei... Para com isso.

(*Pickton se levanta e se senta perto do agente*)

Robert Pickton: Usina de processamento.

Agente disfarçado: Como?

Robert Pickton: Uma usina de processamento.

Agente disfarçado: Aha, aha. Sem essa. Meu, essa é boa, muito boa.

Robert Pickton: Mm, hmm.

Agente disfarçado: Não sobra muita coisa, sobra?

Robert Pickton: Não, nada, mas no final eu tava ficando relaxado, descuidado demais.

Agente disfarçado: Sério.

Robert Pickton: E me pegaram, merda, fiquei descuidado.

Agente disfarçado: Tá vendo, cara, tem de ter um cuidado fodido, tem de...

Robert Pickton: (Indecifrável).

Agente disfarçado: Essa foi muito, foi muito… muito boa, cara.

Robert Pickton: Mmm?

Agente disfarçado: Foi muito boa mesmo. Você deve ter feito direitinho, ahaha. Que beleza...

(*Pausa*)

Robert Pickton: Ia pegar mais uma, arredondar pra cinquenta.

Agente disfarçado: (Risos)

Robert Pickton: Pois é, pois é, por isso fiquei descuidado com (indecifrável).

Agente disfarçado: É.

Robert Pickton: Queria mais uma, fazer, fazer o grande cinco zero.

Agente disfarçado: Fazer a porra do cinco zero (risos). Cara. Isso é fodido. A porra do cinco zero. Meia centena fodida.

(*Pickton ri, assentindo*)

Robert Pickton: Mmm, hmm. Todo mundo diz, quantos deles (*cadáveres*)? Não conto.

Nono trecho

Linha de elicitação "Puxa, você é importante mesmo, por favor, fale mais sobre isso!"

Robert Pickton: Sério, esta porra me irrita. Eu ia pegar mais uma pra deixar a conta redonda.

Agente disfarçado: (Risos)

Robert Pickton: Maior que, maior que aqueles caras nos Estados Unidos.

(Referindo-se a assassinos em série dos EUA, em especial a Gary Leon Ridgway, o "Assassino do Green River", preso no ano anterior.)

Agente disfarçado: Ah, é. Ah é, porra, de longe!

Robert Pickton: Dizem que o recorde dele foi umas 42.

Agente disfarçado: É, é isso.

Robert Pickton: Quarenta e duas.

Agente disfarçado: Porra, cara, parece que o recorde é seu.

Robert Pickton: Isso tá grande agora, tá maior.

(Pausa)

Robert Pickton: Quarenta e nove!

Agente disfarçado: Quase conseguiu.

Robert Pickton: Hum, quase consegui.

Robert Pickton: Tô preocupado com isso.

Agente disfarçado: Aha, aha.

Robert Pickton: Até 50.

Agente disfarçado: Como?

Robert Pickton: Ainda não fiz 50.

Agente disfarçado: É. É...

(Pausa)

Robert Pickton: Não acredito, cara...

Agente disfarçado: (Risos) Eu é que não acredito, tô aqui com o fodido do cara dos porcos! Você vai acabar dando uma porrada de autógrafos... Hmm.

Robert Pickton: Foi grande… foi mais do que o... Green River.

Agente disfarçado: Ah, é, sei lá. Quantos ele pegou?

Robert Pickton: Quarenta e dois.

Trecho conclusivo

Robert Pickton: Vamos ver o que acontece amanhã. Amanhã vai ser muito interessante. Meu advogado diz pra eu não falar nada.

Agente disfarçado: Perfeito!

O resultado

Durante o tempo que passou com Pickton, o agente usou seis das nove linhas de elicitação de que falamos na *Parte Três*. Além disso, o agente aumentou propositalmente sua "estima" e espelhou Pickton psicologicamente o tempo todo. Em pouco tempo, um criminoso abominável e perigoso, que manteve seus homicídios em segredo durante mais de uma década, subitamente estava preparado para compartilhar suas informações mais ocultas com um estranho – tal o poder da elicitação eficiente.

Em função da excelente habilidade de elicitação do agente, de minucioso processamento do cenário do crime por parte dos legistas e do trabalho dedicado da polícia, Pickton foi acusado de 26 homicídios. Por motivos legais, apenas seis foram alvo de processo. Em dezembro de 2007, Pickton foi considerado culpado de seis homicídios de segundo grau.[79]* Por esses seis homicídios, Pickton foi condenado a

---

* Equivalente, no sistema penal brasileiro, a homicídio doloso, no qual há a inten- ção de matar. (N.T.)

25 anos de prisão, sem direito a liberdade condicional, pena máxima aplicada pela lei canadense a homicídio de segundo grau. Mais tarde, o promotor da Coroa decidiu que não era do interesse público prosseguir com as outras vinte acusações de homicídio de primeiro grau.[80] A investigação e o processo custaram US$ 102 milhões.[81]

PARTE QUATRO:

MODELO READ DE ELICITAÇÃO

Até agora, vimos a natureza dos segredos, seu impacto e os motivos que levam as pessoas a guardá-los. Vimos ainda algumas técnicas muito inteligentes de conversação, que incentivam sutilmente o guardião de um segredo a revelá-lo.

Vimos que essas técnicas podem ser eficientes até com assassinos em série muito reservados e cautelosos. Porém, a elicitação, a dinâmica humana e a psicologia dos segredos são temas individualmente complexos, e este livro combina os três! Como tal, precisamos de um modelo claro e comprovado, que nos oriente por esse processo complexo. Para atender a essa necessidade, desenvolvi o Modelo READ de Elicitação.

SUGESTÕES PRÁTICAS PARA DESVENDAR SEGREDOS

Ao contrário dos filmes, espiões e agentes disfarçados não abordam alguém de quem precisam obter informações enfiando uma arma sob seu queixo e ameaçando a pessoa, nem drogam a pessoa e depois a fotografam numa situação sexual comprometedora, chantageando-a para receber a informação... bem, não de forma contumaz!

Seja como for, não são táticas que podem ser usadas em nosso cotidiano. Há, porém, métodos mais refinados e mais eficazes (e legais), que podemos adaptar e adequar a nossos propósitos quando buscamos informações. A partir dessas operações muito complexas e que demandam muitos recursos, criei um gabarito de elicitação para uso cotidiano que é fácil de seguir e muito eficaz, chamado "READ" ("ler", em inglês). Antes de analisar o gabarito, é útil compreender as origens e o campo de provas do modelo READ; o mundo sombrio da espionagem.

COMO OS ESPIÕES USAM O READ

Depois de escolher a pessoa que tem acesso à informação secreta desejada (o guardião do segredo), agentes disfarçados e equipes de apoio passam muitas centenas de horas preparando um perfil do guardião do segredo, bem antes de chegarem a conversar com ele. Colhem-se informações de todos os canais disponíveis, que vão do uso de telefone, viagens, hábitos de consumo, títulos de clubes a associações pessoais e profissionais e preferências sexuais. Cada aspecto da vida da pessoa é examinado. O propósito dessa fase de coleta de informações é desenvolver um "perfil de personalidade" que identifique os gostos, aversões, pontos fortes e pontos fracos. Isso ajuda a determinar uma estratégia quanto à melhor forma de abordar o guardião do segredo, o momento em que isso deve acontecer e, acima de tudo, que tipo de pessoa seria recomendável para obter informações desse guardião. Dissemos antes (ver "Ser aquela pessoa" na *Parte Dois*) que a maioria dos guardiões de segredos conta seu segredo para, no mínimo, uma pessoa, que, em muitos casos, é um amigo ou confidente. Toda essa pesquisa e coleta de informações visa engendrar circunstâncias favoráveis e planejar a reunião e o relacionamento, para que o agente disfarçado possa ser "aquela pessoa"; aquela com quem o guardião do segredo quer compartilhar informações.

Ajustando-se a um guardião de segredo

A fase de pesquisa revelou que um guardião de segredo (geralmente chamado de "alvo") que tinha acesso a informações vitais gostava muito de cães da raça Golden Retriever, e os criava. O guardião do segredo também simpatizava muito com o problema do povo tibetano. Foi selecionado um agente disfarçado adequado. Idealmente, seria alguém de etnia tibetana, ou que pudesse se passar por tibetano. No entanto, não havia nenhum agente com esse perfil disponível; assim, foi escolhida para a operação uma pessoa que conhecia bem o Tibete e que podia se mostrar abertamente simpática à causa tibetana.

Bem antes do primeiro encontro, o agente pesquisou a fundo os cães da raça Golden Retriever e até foi a algumas exposições de cães. A vigilância descobriu que o chaveiro do carro do guardião do segredo tinha um cão dessa raça. Essa informação da vigilância proporcionou o "gancho". O agente espelhou psicologicamente o guardião do segredo quando se encontraram "casualmente" numa fila de aeroporto, e fisgou o guardião do segredo "percebendo" o chaveiro com o Golden Retriever. Isso lhes deu um ponto em comum instantâneo e seguiu-se uma conversa "natural" sobre esses cães. Em função do excelente planejamento, o guardião do segredo e o agente ficaram sentados juntos durante o voo e, lançando algumas linhas de elicitação previamente planejadas, em pouco tempo se desenvolveu um vínculo íntimo. Durante o voo, o agente identificou sincronias que poderia usar na próxima vez em que se encontrassem.

Este foi o primeiro de muitos contatos bem planejados de elicitação, que, do ponto de vista do guardião do segredo, foram simplesmente reuniões sociais agradáveis. Num encontro posterior, o agente divulgou sua "simpatia secreta" pelo Tibete, formando-se um vínculo emocional (compartilhar um segredo inventado para revelar um segredo real). Então, o guardião do segredo compartilhou sua postura similar, desenvolvendo-se um relacionamento com confiança mútua. O agente tornou-se "aquela pessoa" na vida do guardião do segredo, e começou a sondar a informação desejada (ao longo de uma série de encontros), sem jamais deixar transparecer que todo o relacionamento fora engendrado com uma meta específica.

Este é um método confiável, muito usado por agências de inteligência do mundo todo, para infiltração e elicitação.

Como nossa elicitação não é uma questão de vida ou de morte, e nem de segurança nacional, e não estamos nos infiltrando na KGB (sigla em russo para Comitê de Segurança do Estado), não precisamos realizar uma operação completa e que exija muitos recursos. Mesmo sem contar com equipes de vigilância, peritos em medicina legal ou avaliadores de perfil psicológico, podemos adotar o mesmo gabarito para elicitação na vida cotidiana. O modelo READ torna o processo mais simples.

REVELANDO AS ETAPAS DO READ

READ é uma sigla prática, que estabelece quatro etapas fáceis de seguir quando for preciso obter informações ocultas. Pode ser usado em elicitações de curto ou de longo prazo, tanto em processos de elicitação direta quanto indireta. Cada etapa é tão importante quanto as demais, e baseia-se na premissa de a etapa anterior ter sido realizada. Qualquer que seja a situação, para garantir a melhor chance de sucesso, recomendo-lhe seguir este modelo.

R

(*Research*) Pesquise e avalie o guardião do segredo.

- Pesquise: estude ao máximo o guardião do segredo. Dependendo das circunstâncias, isso pode variar de alguns minutos a alguns meses.
- Avalie: analise as características de personalidade do guardião do segredo no ambiente, quando estiver prestes a encontrá-lo.

E

(*Engage*) Conecte-se com o guardião do segredo – gancho, linha e sincronia.

- Gancho: com base em sua avaliação, use o espelhamento psicológico e um gancho apropriado para dar início a uma conversa sobre algum assunto de interesse mútuo.
- Linha: depois, lance sua linha, ou linhas, de elicitação, para formar um vínculo rapidamente e aproximá-lo do guardião do segredo.
- Sincronia: registre mentalmente as partes da conversa que fazem com que o guardião do segredo reaja positivamente, ou que o levem subitamente a compartilhar informações. Essas sincronias podem ser usadas da próxima vez em que se encontrarem, para recriar os "sentimentos" positivos e/ou de proximidade do encontro anterior.

A

(*Access*) Acesse a informação oculta – o portal para o sigilo: para obter sutilmente acesso ao tema da informação oculta, procure, durante a conversa, portais que você possa usar para levar a conversa ao assunto do segredo. Evite fazer perguntas diretas, pois estas são muito despojadas, podem assustar a pessoa e por certo vão permanecer na mente do guardião do segredo muito tempo depois da conversa. Se você perceber que o guardião do segredo começa a se afastar de você, ou deixa claro que esse assunto está fora dos limites, continue a usar linhas de elicitação e a formar o vínculo, mas afaste-se da área específica. Se, porém, a informação começar a fluir, descubra o máximo que puder e deixe preparado o cenário para outra reunião, anotando as sincronias nesse nível íntimo de compartilhamento.

D

(**Divert**) Dirija a conversa para longe da área sensível, para que a informação compartilhada não fique em destaque na mente do guardião do segredo após o término do encontro. Crie um final feliz para que o guardião do segredo fique predisposto a iniciar o próximo encontro com o mesmo humor.

Agora, vamos examinar cada etapa do modelo de forma mais detalhada, para compreender melhor como eles se encaixam e formam uma estratégia de elicitação muito simples e eficaz.

PRIMEIRA ETAPA: Pesquise e avalie o guardião do segredo

Quanto mais você souber sobre um guardião do segredo, melhor será a estruturação da conexão (a etapa seguinte), o que, por sua vez, aumentará sua chance de sucesso. O estágio inicial de pesquisa e avaliação é crítico para o seu sucesso, quer você esteja simplesmente obtendo informações num encontro único e casual, num avião ou num café, conversando espontaneamente com um cliente, paciente ou filho, ou então realizando uma estratégia bem planejada e complexa de elicitação, para obter informações vitais para seus investimentos. Isso vai ajudá-lo a definir um gancho eficaz, a lançar linhas de elicitação produtivas junto ao guardião do segredo e a formar, rapidamente, um vínculo em seu primeiro contato.

A fase de pesquisa e avaliação pode durar apenas um ou dois minutos, ou levar várias semanas. Eis um exemplo de uma etapa de pesquisa e avaliação muito rápida que você pode realizar enquanto visita uma área na qual planeja investir em propriedades. Talvez não valha muito a pena perguntar aos corretores imobiliários locais se esse é um bom lugar para investir (claro que vão incentivá-lo a comprar!). Um modo de obter uma boa noção da região, em pouco tempo, consiste em conversar com alguns dos moradores locais – que, neste caso, serão os guardiões do segredo. Você não quer revelar que é um possível comprador de imóveis para moradia ou para investir, e por isso planeja obter o maior número de informações que puder sobre o local.

Você entra numa cafeteria e rapidamente analisa a linguagem corporal dos clientes, escolhendo uma pessoa (o guardião do segredo) que parece não estar com pressa. Este ponto é crítico para que você não seja descartado por alguém com pressa. Idealmente, você deve escolher uma pessoa que esteja vestida de forma similar a você, para que ela se sinta à vontade nessa interação.

Antes de abordar o guardião do segredo, você vai precisar de mais informações e observar o melhor que pode, percebendo o tipo e a qualidade das roupas que a pessoa está usando. Preste muita atenção nos sapatos, pois geralmente eles são uma fonte menosprezada de informações. Se, por exemplo, a parte superior do sapato, na altura do dedão do pé direito, estiver gasta, isso pode indicar que a pessoa tem uma moto (o desgaste se deve às constantes mudanças de marcha); manchas na roupa podem indicar um pintor ou empreiteiro, sapatos malcuidados, mas de boa qualidade, podem indicar uma pessoa que está passando por apertos financeiros. Isoladamente, os sapatos não dizem tudo sobre a pessoa, mas acrescentam algumas informações vitais para que você possa fazer uma avaliação completa. (Desde que a pessoa não esteja usando sapatos emprestados!)

Sua pesquisa continua e você procura pistas mais óbvias, como uma etiqueta com o nome de uma empresa, de um clube ou de lugares na camisa, uma gravação na fivela do cinto, o nome de uma empresa num boné. Talvez a pessoa tenha uma tatuagem militar, patriótica, étnica, de gangue ou familiar. Muitas pessoas penduram no pescoço o crachá de acesso à empresa ou o prendem ao cinto quando saem do escritório. Para um observador astuto, esses detalhes proporcionam informações íntimas, como nome, data de nascimento, cargo e às vezes sua classificação de segurança. Outros têm a carteira de habilitação, o seguro social ou o cartão do convênio médico protegidos dentro da carteira; quando vão pagar no caixa, exibem muitas informações privadas, que incluem o nome completo, a data de nascimento, o endereço residencial e até os nomes de outros membros da família.

Se você é uma dessas pessoas, por favor, esconda melhor esses cartões em sua carteira ou bolsa. Uma olhada rápida no documento de seu carro informa aos ladrões duas coisas vitais: uma, seu endereço completo; outra, que você não está em casa.

Continuando com o nosso cenário: suas observações devem ser realizadas muito rapidamente, prosseguindo por um ou dois minutos, enquanto você espera na fila para pagar o café. Você observa o tipo de relógio que a pessoa usa, joias (inclusive colares com símbolo do signo, um nome ou iniciais), maquiagem e o padrão da vestimenta. Quando tudo isso é combinado, você sabe dizer se a pessoa é profissional liberal, comerciante, turista, desempregada, vendedora etc. muito rapidamente. Às vezes, uma avaliação rápida como essa é tudo de que você precisa. Tenha confiança em seu instinto sobre uma pessoa ao fazer essa avaliação. Às vezes, você pode se enganar, mas na maioria das vezes não vai errar. E, mesmo que erre, agora você tem uma lista completa de ferramentas novas que pode usar para abrir o caminho para uma interação suave e agradável.

Analogamente, uma avaliação breve pode ser feita logo que você conhece um paciente, cliente ou aluno. Nessas situações, a fase de avaliação não dura mais do que um ou dois minutos – não é 100% precisa e não importa se você errar um pouco. Se você se mantiver flexível e adaptar a conversa, depois de entrar em contato com o guardião do segredo, estará a caminho de obter a informação que procura.

Na outra ponta do espectro, há fases de pesquisa e avaliação mais profundas e que exigem mais tempo. O guardião do segredo pode ser um cliente ou sócio em potencial, ou um concorrente; nessas situações, a fase de pesquisa e avaliação é essencial, e pode implicar o desenvolvimento de um perfil completo da pessoa, com base em quaisquer fontes disponíveis. O valor da informação que você busca vai determinar o esforço que você deve dispender.

Você pode (ou não) contratar um detetive particular. Porém, com um pouco de esforço, é possível descobrir muita coisa sobre as pessoas antes mesmo de conversar com elas, graças à Internet, com fontes como Facebook, LinkedIn, Google e os *sites* das empresas. Registros eleitorais ou quaisquer outros registros públicos podem fornecer um endereço, e uma busca rápida no Google Earth pode lhe mostrar informações úteis sobre a pessoa – o tamanho de sua casa, que carro usa, se há algum barco na garagem ou se tem um jardim bem cuidado ou uma piscina. Ao somar essas informações, é possível fazer um retrato completo do tipo de pessoa que é o guardião do segredo, permitindo uma avaliação bem precisa.

Se um guardião de segredo, em seu local de trabalho, tem uma sala ou uma estação de trabalho, provavelmente você terá disponível informações vitais para sua pesquisa a uma simples observação casual – sem que precise arrombar a porta para entrar! Itens como fotos, diplomas, certificados, livros etc. podem ajudá-lo a conhecer a pessoa.

Não importa se sua pesquisa durou um minuto ou um mês: antes de decidir que gancho e que linha usar, precisamos determinar já no primeiro encontro qual é a disposição de ânimo do guardião do segredo.

A disposição de ânimo do guardião do segredo

Não se trata de uma avaliação técnica de personalidade. Você não precisa conhecer testes de psicometria ou procedimentos de análise de personalidade; você pode fazer uma avaliação simples, com base em sua experiência de vida e na observação das pessoas ao longo dos anos. Você está avaliando o "ânimo" do guardião do segredo naquele momento, algo que combina o humor e o tipo de personalidade, e que também leva em conta o ambiente onde se encontra o guardião do segredo ao se fazer a avaliação. Parece complicado, mas, na verdade, é bem fácil.

Alguns avaliadores e psicólogos levarão você a pensar que não está qualificado para fazer isso, e que, sem algumas ferramentas complexas de avaliação da personalidade, não dá para fazer uma análise precisa. Não acredite neles! Creio que a maioria das pessoas é bastante astuta para avaliar a disposição de ânimo de uma pessoa logo que a conhece, ou só de observá-la – é uma capacidade humana desenvolvida naturalmente.

Desde que os seres humanos começaram a andar pelo planeta, todos nós evoluímos graças à necessidade de ter de avaliar, rapidamente, quem nos ameaçava, quem era amigável, quem nos dava seguran-ça, quem era um bom líder, quem era um bom provedor, com quem gostaríamos de procriar e com quem não gostaríamos de fazê-lo. Geral-mente, acertamos – aqueles que não acertaram pararam de procriar ou foram mortos em cavernas há milhares de anos – obrigado, dr. Darwin! Além de nossa capacidade evolutiva, desenvolvemos individualmente nossa habilidade graças à vida em família, aos relacionamentos sociais e ao trabalho. Isso nos torna hábeis avaliadores de pessoas.

Mesmo que você tivesse acesso a um perfil técnico recente de per-sonalidade do guardião do segredo, o comportamento da pessoa pode ser bem diferente daquele esperado em função de fatores vitais internos e de estímulos ambientais externos. Por exemplo, uma pessoa que foi avaliada num teste de personalidade como "mais interessada em ideias do que em interações sociais. Discreta, contida, flexível e adaptativa",[82] pode se mostrar extrovertida e muito mais sociável do que o esperado porque está entusiasmada, seu dia está bom, acabou de receber um aumento de salário ou se acha sob o efeito de drogas ou de álcool.

Isso se deve ao fato de o humor e de o comportamento da pessoa variarem conforme o momento e em circunstâncias distintas, em função de fatores internos, como sono, alimentação ou estresse, ou de estímu-los ambientais, como calor, frio, ruído etc. Você já deve ter ouvido falar em "pessoas matutinas", que pulam exuberantes da cama assim que acordam, e as outras pessoas, que devem ser evitadas enquanto não tomam a primeira xícara de café! Estímulos internos e externos podem afetar a disposição de ânimo do guardião do segredo, independentemente de seu tipo técnico de personalidade.

Experimente tentar conversar de forma bem-humorada, num *shopping*, com um pai que segura um bebê chorando ou uma menininha berrando. Posso lhe garantir que nem o comentário mais espirituoso vai fazer aquele pai rir em tal situação. Nesse caso, nem mesmo o pai ou a mãe mais plácidos ou compreensivos terão senso de humor – uma característica que não está em seu tipo de personalidade. Nessa situação, os únicos que terão algum senso de humor serão os pais de crianças mais velhas e os avós, que observam a situação e que já enfrentaram diversas exibições desse tipo, mas que, estranhamente, parecem se divertir vendo os outros passarem por elas!

Alguns exemplos de disposição de ânimo:

- Altamente motivado e atarefado.
- Relaxado e descontraído.
- Cansado e sonolento.
- Enérgico.
- Bem-humorado, riso fácil.
- Sério e introvertido.
- Amigável e aberto.

São apenas algumas das diversas facetas que um guardião de segredo pode ter diante de você, quando estiver sendo avaliado. Os psicólogos talvez fiquem horrorizados ao ler uma lista como essa, pois não são estados medidos técnica e psicometricamente. Porém, posso atestar que, do ponto de vista da coleta de informações, esse método funciona. Como pessoas normais, não precisamos usar ferramentas psicológicas complexas e complicadas. Meu conselho é que você também deve confiar em sua reação instintiva sobre o tipo de pessoa que o guardião do segredo estiver sendo quando você o encontrar. Ao combinar tudo aquilo que aprendeu com sua pesquisa, e ao observar o guardião do segredo, você deve poder confiar que fará uma avaliação precisa.

SEGUNDA ETAPA: Conecte-se com o guardião do segredo – gancho, linha e sincronia

Depois de ter pesquisado e avaliado o guardião do segredo, a etapa seguinte para obtenção de informações ocultas consiste em conseguir "se conectar" com ele através de conversas. Já tratamos, detalhadamente, do método do gancho, linha e sincronia na *Parte Três*.

"Conexão" é uma palavra operacional, e significa mais do que uma mera conversa; você precisa levar a pessoa a falar, rompendo qualquer resistência ao diálogo. O objetivo principal da conexão com o guardião do segredo é estabelecer rapidamente um vínculo próximo e compartilhado com essa pessoa, o que raramente acontece em conversas normais do cotidiano. Ao final de uma conversa de conexão, o guardião do segredo deve se sentir ligado a você, tendo gostado muito da conversa.

Com base em sua pesquisa (que pode ser um processo longo ou uma rápida varredura do ambiente), dá para ter uma ideia do gancho que será mais eficaz. Além disso, observando o guardião do segredo pouco antes de se encontrarem, você saberá qual a disposição de ânimo atual dele, e, com tudo isso, você deve conseguir espelhá-lo psicologicamente em seu primeiro contato (demonstrando que está sentindo o mesmo que ele, naquela situação ou ambiente).

A etapa de conexão consiste em manter uma conversa significativa, e é fundamental fazer a conversa fluir de verdade, não sobre o segredo em si, mas sobre qualquer assunto mutuamente interessante. Não se preocupe com a conexão em si e nem se apresse em estabelecê-la, isso vai acontecer durante a conversa, graças ao uso do método do gancho, linha e sincronia. O que queremos é obter um fluxo de informações gerais (sobre um tópico ou problema comum a ambos) que coloque os dois do mesmo lado e sentindo a mesma coisa sobre o tema tratado; é o alinhamento com o guardião do segredo.

Neste estágio inicial, qualquer conversa é melhor do que nenhuma conversa; o guardião do segredo vai proporcionar a informação de que você precisa para direcionar o diálogo, fazendo com que ambos se sintam mais próximos em termos emocionais e que ele queira conversar ainda mais. É com essas interações pessoais que avaliamos as pessoas, e você pode usar seus talentos vitais para demonstrar como é "amável"! Isso pode ser reforçado com uma linguagem corporal positiva.

Usando linguagem corporal positiva

- Contato visual amigável: Evite vagar o olhar pelo ambiente enquanto você ou a pessoa estiverem falando, pois isso denota desinteresse. Não encare nem assuste o guardião do segredo, tente fazer com que ele sinta que é a pessoa mais interessante do lugar. Se conseguir fazer isso, ele vai começar a se sentir conectado com você.
- Evite cruzar braços ou pernas: Se o fizer, você pode projetar que está defensivo ou fechado.
- Use a cabeça: Tente ajustar a altura de sua cabeça com a do guardião do segredo. Assinta com a cabeça quando ele estiver falando, para deixar claro que o que a pessoa está dizendo é interessante e que você concorda com ela.
- Mantenha-se ou pareça relaxado: Mantenha uma postura corporal relaxada e acolhedora. Se estiver nervoso, o que pode acontecer, a melhor maneira de esconder isso é relaxar o corpo e apoiar des-

contraidamente os braços ou as pernas num móvel, como o tampo da mesa, as pernas da cadeira etc. Quando as pessoas estão nervosas ou aparentam rigidez e frieza, fica difícil a comunicação, pois nós mesmos não ficamos à vontade. Combata o impulso de se retrair e fechar. Relaxe, mas não invada o espaço pessoal do guardião do segredo. Com isso você projeta autoconfiança.

- Incline-se: Incline-se levemente na direção do guardião do segredo quando estiver ouvindo. Não se incline para trás, pois isso pode denotar arrogância ou distanciamento, e nem se incline demais, o que pode indicar intimidação ou carência – ambos indesejáveis. Incline-se como quem mostra "interesse".

- Sorria: Todos se sentem naturalmente atraídos por pessoas positivas. Sorria quando se encontrarem e fique pronto para rir. Mesmo que esteja refletindo psicologicamente um guardião de segredo frustrado (e por isso você também estará frustrado), leve a conversa para um estado mais alegre; por exemplo, ironize a situação. Mas não force um sorriso prolongado, pois é quase impossível falsificar um sorriso autêntico, e um sorriso prolongado vai parecer insincero. Use seu sorriso normal, pois as pessoas aceitam melhor uma fisionomia amigável, sentindo-se mais à vontade.

- Evite tocar o rosto: Um dos sinais de que alguém tenta nos enganar é o gesto de tocar o rosto, especialmente o nariz, pois há um aumento de irrigação sanguínea no tecido erétil do nariz em situações de ansiedade e de estresse. Se você toca regularmente no rosto, o guardião do segredo pode achar que você o está enganando.

- Espelhamento corporal: Quando duas pessoas estão se relacionando bem durante uma conversa, adotam naturalmente a mesma posição corporal, ou uma similar. Para aumentar a conexão, você pode fazer isso proativamente, espelhando o guardião do segredo. Isso deve ser feito com sutileza, ajustando-se pouco depois que a pessoa mudou de posição durante a conversa. Cuidado: Quase todos entendem de linguagem corporal e de espelhamento corporal, e por isso você deve usar essas ferramentas com muito cuidado. Se o guardião do segredo perceber que você está fazendo isso, sua credibilidade diminuirá e você parecerá insincero.

Mantenha-se flexível e adapte seu espelhamento psicológico durante a conversa, porque a pessoa pode estar com uma postura diferente daquela que você avaliou inicialmente, pois durante o encontro ela pode mudar. Existe ainda uma grande diferença entre a imagem pública de uma pessoa, no âmbito profissional, e sua personalidade. Mesmo que seja uma pessoa absolutamente entediante, faça-a falar e contribua com comentários ou declarações que reforcem positivamente suas semelhanças. Por motivos óbvios, é importante não discordar do que o guardião do segredo diz.

Usando erros para abrir cofres

Sinceridade e credibilidade são dois atributos que um guardião de segredo estará avaliando ao decidir se vai falar de um segredo com você ou não. Ninguém é perfeito, e, quando conhecemos alguém que nunca admite seus erros ou problemas, geralmente deduzimos que a pessoa está ocultando alguma coisa de nós. Isto, por sua vez, faz com que hesitemos em compartilhar informações com ela.

Para aumentar sua credibilidade junto a um guardião de segredo, você deve se sentir livre para compartilhar um ou dois erros ou enganos (mesmo que inventados) ao longo da conversa. Se o guardião do segredo compartilhar um incidente ou erro do qual se arrependa, é o momento ideal para inserir sua própria experiência similar. Isso vai ajudá-lo a se aproximar do guardião de segredo, aumentando sua credibilidade e sua faceta humana, segundo o ponto de vista dele.

Siga o processo do gancho, linha e sincronia para conectar-se plenamente com a pessoa, enquanto continua a manter uma conversa genérica para formar o vínculo. Quando perceber que o guardião do segredo está relaxado e conversando com tranquilidade, e que há uma conexão pessoal positiva, será hora de passar a conversa para a informação que você procura, obtendo acesso a ela.

TERCEIRA ETAPA: Ganhe acesso à informação oculta – O portal para o sigilo

Embora o guardião do segredo deva estar desfrutando dessa conversa animada, esta certamente não lhe dará a informação de que você precisa. Agora, você deve dirigir a conversa genérica para a área do segredo, sem abalar a dinâmica interpessoal positiva. A facilidade com que isso se dará vai depender .basicamente da proximidade emocional entre ambos e da confiança e da estima do guardião do segredo por você.

Se você usou as técnicas explicadas até aqui, deve estar bem no ponto de fazer uma transição suave, ganhando acesso à informação com base no vínculo íntimo que foi desenvolvido. Entretanto, por melhor que seja o vínculo, não dá para falar do transporte público da cidade, de relacionamentos pessoais ou do noticiário da TV e, de repente, fazer uma pergunta pontual focada na informação que a pessoa está mantendo em sigilo. Mesmo que você tenha realmente se conectado com a pessoa, uma pergunta súbita sobre o segredo pode chocar o guardião do segredo e levá-lo a erguer suas barreiras. Isso pode influenciar a pessoa a manter a conversa num nível superficial, ou, pior ainda, a imaginar que talvez você tenha segundas intenções – o que, naturalmente, você tem.

Mesmo quando um guardião de segredo sabe que você está tentando obter acesso a uma informação oculta para ajudá-lo, uma pergunta seca como essa transfere o controle da conversa para ele, que pode então impedir seu acesso. Não queremos que isso aconteça. Para que a transição seja suave, enquanto a conversa genérica está em andamento, procure portais na conversa que possam ser usados para dirigi-la ao tema do segredo.

Sua meta deve levar o guardião do segredo a lhe dizer, voluntariamente, aquilo que você deseja saber, sem ter de fazer perguntas diretas sobre a informação oculta. Estabelecendo um vínculo estreito e usando portais de conversação, o guardião do segredo vai sentir a conexão com você e o segredo surgirá naturalmente na conversa. Lembre-se, os guardiões de segredos sentem um impulso natural de compartilhar, e esse processo simplesmente abre caminho para que a informação possa fluir até você.

Na maior parte das vezes, durante a fase de conexão, você vai obter informações suficientes para criar um portal de acesso até o tema do segredo. Entretanto, quando isso não acontece, é possível fazer perguntas genéricas e indiretas, abertas, sobre o tema do segredo – mas não sobre o segredo em si. Devemos evitar perguntas diretas porque são muito bruscas, podem assustar a pessoa e vão ficar em sua mente depois do final da conversa.

Enquanto você direciona a conversa cuidadosamente para o tema do segredo, seu guardião vai reagir de uma das seguintes maneiras:

1. Se ele se sentir pouco à vontade quando a conversa se dirigir para o assunto do segredo, isso ficará óbvio, pois desviará a conversa bruscamente para outro assunto. Ou talvez você perceba mudanças sutis na linguagem corporal dele – braços cruzados (defensivo), corpo rígido ou olhos que parecem percorrer o local (evitando contato visual com você, buscando uma saída). São sinais de que o guardião do segredo está começando a se desconectar. É um sinal ao qual devemos ficar atentos, reagindo a ele.

Empregando o mesmo nível de atenção usado para lidar com o segredo, agora saímos dessa área e levamos a conversa, naturalmente, para algum tema seguro, um tema no qual o guardião do segredo já mostrou desenvoltura em conversas com você (uma sincronia), ou para algum assunto diferente e de interesse mútuo. Isso não quer dizer que você não deva tornar a tocar no tema do segredo enquanto estiverem juntos, ou numa próxima reunião.

2. A segunda reação pode ser positiva, e o guardião do segredo pode começar a falar da informação sigilosa. Se isso acontecer, descubra o máximo que puder, só ouvindo. Evite fazer perguntas, pois isso pode detê-lo. Se ele fizer uma pausa e aparentar que está avaliando se deve continuar a revelar o segredo, dependendo da situação você pode:

- Usar frases normalizadoras, como:
  - "Bem, qualquer um na sua situação sentiria o mesmo."
  - "Entendo perfeitamente como você se sentiu..."
  - "Acidentes como esse simplesmente acontecem."
  - "Há muitas pessoas na mesma situação."
  - "Às vezes, crescer é difícil" (para um adolescente).
  - "Foi um engano."
- Minimizar a importância da informação: "Interessante, mas eu não me preocuparia. Isso pode ficar só entre nós; não é como o Wikileaks. Somos apenas duas pessoas conversando".
- Aumentar a empatia emocional: "Sei que deve ser difícil para você falar disso, mas às vezes, ao nos abrirmos, sentimo-nos melhor...".
- Compartilhar um segredo seu, similar. Isso vai aumentar a pressão para que o guardião do segredo compartilhe o dele também ("um pelo outro").

Talvez você se lembre de que dissemos, na seção *Atrações Secretas, Relacionamentos Secretos e Ursos Brancos*, que, quando finalmente um segredo é revelado, a informação flui mais livremente do que se não tivesse sido um segredo antes. Por isso, um dos aspectos que precisamos ter em mente é que, quando descobrimos um segredo de alguém e esse alguém nos transmite muitas informações que antes eram confidenciais, precisamos estar preparados para lidar bem com as informações e com quem as passou. Além disso, depois que alguém compartilha seu segredo com você, é bem provável que torne a falar dele.

Em suma, a fase de acesso concentra-se em conversar naturalmente sobre o segredo, sem fazer nenhuma pergunta direta ao guardião do segredo. Para isso, é melhor usar portais para direcionar a conversa até a informação oculta. Se essa abordagem não funcionar, então é possível usar perguntas indiretas e abertas sobre o tema geral do segredo.

Você pode praticar o uso de portais para desviar conversas em seu dia a dia, mesmo quando não está tentando descobrir um segredo. Vai ficar surpreso com a facilidade com que pode controlar e direcionar uma conversa, sem que a outra pessoa perceba.

QUARTA ETAPA: Desvie a conversa

Depois que o guardião do segredo compartilhar a informação, é vital que não se sinta violado ou invadido por ter se aberto com você. Isso se aplica em particular às situações em que você usa essas ferramentas para ajudar a pessoa a se abrir, para receber um apoio mais adequado. Lembre-se, se a pessoa mantém um segredo, por quaisquer motivos, é porque ele é importante para ela.

Dependendo da natureza do segredo, quando este é compartilhado, a pessoa pode sentir certo remorso ou vulnerabilidade, geralmente, após a conversa. Pode achar, ainda, que foi usada ou que foi traída, que se traiu ou que traiu terceiros ao compartilhar a informação. Quaisquer que sejam as circunstâncias ou motivos para se obter acesso ao segredo, devemos sempre fazer com que o guardião do segredo se sinta bem com a interação, mesmo que a pessoa reflita sobre o que foi compartilhado. Para isso, é imperativo aplainar a interação e desviar a conversa para longe do assunto do segredo. Isso vai servir para minimizar quaisquer conflitos internos que a pessoa possa sentir, além de assegurar que ela possa tornar a discutir com você esse segredo – ou algum outro – no futuro.

É estranho, mas as pessoas costumam ser consistentes na forma como abordam alguém pela segunda vez. Se a primeira reunião ou encontro terminou de forma acalorada, provavelmente a nova saudação será influenciada por isso. De modo análogo, se as pessoas se afastam num tom positivo, ao tornarem a se encontrar o relacionamento vai recomeçar a partir do mesmo ponto.

Um dos motivos para isso é que, malgrado a passagem do tempo e das circunstâncias que podem afetar o humor de cada pessoa, nada aconteceu que possa realmente alterar o relacionamento no período intermediário. Logo, a emoção final permanece e pode ser reativada quando as pessoas tornam a se ver. Isso pode mudar depois que a segunda interação já está em andamento; todavia, na maior parte das vezes, o começo de um segundo encontro é influenciado pela forma como terminou o anterior.

Mesmo que o guardião do segredo descubra alguma coisa desfavorável a seu respeito no período entre os encontros, o fato de a primeira conversa ter sido encerrada num clima positivo, e de intimidade, vai definir o humor para o início da segunda conversa. Já vimos que as pessoas compartilham informações com outras de quem gostam e com as quais têm um vínculo emocional. Assim, ao fim do primeiro encontro, queremos que seja isso que fique claro na mente do guardião do segredo, e não que houve uma troca de informações; quando vocês se encontrarem novamente, a conversa vai começar tal como a anterior se encerrou.

Se, durante o intervalo entre encontros, o guardião do segredo reavaliar os fatos e considerar que revelou mais do que gostaria, ele ficará mais resguardado no próximo encontro, mas a emoção final ainda prevalecerá. Por isso, precisamos de duas coisas na fase de desvio:

1. Após o compartilhamento da informação oculta, desvie a conversa para longe do assunto. Se você não fez nenhuma pergunta direta, isso deve acontecer rapidamente.

2. Conduza a conversa para algum tema alegre e seguro, para que o guardião do segredo preserve esse tom até o início da interação seguinte.

A fase de desvio deve ser usada mesmo que o guardião do segredo não tenha compartilhado informação alguma. Adotando esse processo, você estará em boa posição para fazer uma nova tentativa. Mesmo que ache que nunca vai voltar a ver a pessoa, você não sabe se as circunstâncias podem tornar a reuni-los. Encerrando o processo com a fase de desvio, você ficará bem posicionado na mente dessa pessoa, caso tornem a se encontrar. Além disso, quando se encontrarem, recorde-se de algumas sincronias do primeiro contato, para levar o guardião do segredo até o ponto mais íntimo e revelador desse encontro anterior.

PRINCIPAIS TÓPICOS DA PARTE QUATRO

READ é uma sigla prática [em inglês] para um modelo de elicitação que estabelece quatro etapas fáceis de seguir, quando você estiver tentando obter informações ocultas. Pode ser usado em elicitações de curto ou de longo prazos, tanto em processos de elicitação direta quanto indireta:

(*Research*) Pesquise e avalie o guardião do segredo.
- Pesquise: Estude ao máximo o guardião do segredo. Dependendo das circunstâncias, isso pode variar de alguns minutos a alguns meses.
- Avalie: Analise o comportamento do guardião do segredo no ambiente, quando estiver prestes a encontrá-lo.

(*Engage*) Conecte-se com o guardião do segredo – gancho, linha e sincronia.
- Gancho: Com base em sua avaliação, use o espelhamento psicológico e um gancho apropriado para dar início a uma conversa sobre algum assunto de interesse mútuo.
- Linha: Depois, lance sua linha ou linhas de elicitação para formar um vínculo rapidamente e aproximá-lo do guardião do segredo.
- Sincronia: Registre mentalmente as partes da conversa que fazem com que o guardião do segredo reaja positivamente, ou que o levem subitamente a compartilhar informações. Essas sincronias podem ser usadas da próxima vez em que se encon-

trarem, para recriar os "sentimentos" positivos e/ou de proximidade do encontro anterior.

Acesse a informação oculta – o portal para o sigilo: Para obter sutilmente acesso ao tema da informação oculta, procure, durante a conversa, portais que você possa usar para levar a conversa ao assunto do segredo. Evite fazer perguntas diretas. Se você perceber que o guardião do segredo começa a se afastar de você, ou deixa claro que esse assunto está fora dos limites, continue a usar linhas de elicitação e a formar o vínculo, mas afaste-se da área específica. Se, porém, a informação começar a fluir, descubra o máximo que puder e deixe preparado o cenário para outra reunião, anotando as sincronias nesse nível íntimo de compartilhamento.

Dirija a conversa para longe da área sensível, para que a informação compartilhada não fique em destaque na mente do guardião do segredo após o término da reunião. Crie um final feliz para que o guardião do segredo fique predisposto a iniciar o próximo encontro com o mesmo humor.

VÁ À LUTA!

Parabéns! Agora, você está equipado com os conhecimentos de que precisa para obter todo tipo de informação de todo tipo de pessoa. Porém, esse novo conhecimento precisa ser posto em prática para que possa se transformar numa ferramenta eficiente. Essa não é uma tarefa assustadora; na verdade, é divertida! Quando usar essas ferramentas, você vai se espantar com a quantidade de informações que as pessoas vão compartilhar com você. Sugiro que pratique o máximo que puder, começando por conversas simples em situações cotidianas.

Você pode, por exemplo, ir comprar alguma coisa numa loja e começar a conversar com o vendedor usando essas técnicas. Sua meta é extrair a maior quantidade possível de informações sobre o vendedor. Você pode descobrir há quanto tempo ele trabalha lá, seu salário, se é casado, até seu endereço residencial. Por quê? Porque é um ótimo exercício, e, se você mantiver uma boa conexão com o guardião do segredo, ao se despedir ele ficará com o saldo de uma boa conversa, e achará que você é uma pessoa legal, alguém com quem gostará de conversar novamente!

Você pode fazer isso no ponto de ônibus, no trabalho, no metrô, com motoristas de táxi, em festas etc. Esse tipo de atividade não tem um lado negativo, pois tanto você quanto o guardião do segredo devem desfrutar do processo, enquanto você aprimora suas habilidades e sua confiança.

Agora você conhece algumas das mais avançadas e eficientes técnicas de elicitação, e o modo de aplicá-las à sua vida pessoal e profissional, para obter segredos; mas não conte para ninguém – faça segredo disso!

NOTAS

1. O livro *Lie Catcher: Become a Human Lie Detector in Under 60 Minutes*, também publicado como *Detect Deceit* (EUA & Canadá), pode ser adquirido on-line no *site* da Big Sky Publishing (www.bigskypublishing.com.au). [*Como Identificar um Mentiroso: Torne-se um Verdadeiro Detector de Mentiras Humano em Menos de 60 Minutos*, publicado pela Editora Cultrix, São Paulo, 2013.]
2. Programa *Sixty Minutes* (Austrália), de 18 de novembro de 2011. Segundo o entrevistado, sr. Richard Clarke (que foi chefe de Contraterrorismo dos presidentes Clinton e Bush), países como a China não só estão furtando segredos militares como invadindo informações empresariais confidenciais. Essas informações são passadas pelo governo chinês para empresas chinesas, que concorrem comercialmente com as companhias cujos segredos foram furtados. Disponível em: http://60minutes.9msn.com/article.aspx?id=8376293.
3. VriJ, A. *et al.* (2002). "Characteristics of Secrets and the Frequency, Reasons and Effects of Secret Keeping and Disclosure." *Journal of Community and Applied Social Psychology*. Reino Unido: Wiley and Sons.
4. VriJ, A. *et al.* (2002). "Characteristics of Secrets and the Frequency, Reasons and Effects of Secret Keeping and Disclosure." *Journal of Community and Applied Social Psychology*. Reino Unido: Wiley and Sons.
5. Margolis, G. (1974). *The Psychology of Keeping Secrets*. International Review of Psychoanalysis.
6. Pennebaker, J. W., Colder, M. & Sharp, L. K. (1990). Pennebaker, J. W., Kiecolt-Glaser, J. K. & Glaser, R. (1988).
    Petrie, K. J., Booth, R. J., Pennebaker, J. W., Davison, K. P. & Thomas, M. G. (1995).
7. Por exemplo, Schwartz, G. E. (1990). "Psychology of repression and health: a systems approach". *In*: Singer, J. L. *Repression and disassociation: Implications for personality theory. Psychopathology and Health*. Chicago: The University of

Chicago. Scarf, M. (2004) *Secrets, Lies, Betrayals: How the Body Holds Secrets of a Life, and How to Unlock Them*. Random House.

8. Descrição adaptada de Kelly, A. E. (2002). *The Psychology of Secrets*. Bok, S. (1989) *Secrets: On the ethics of concealment and revelation*. Nova York: Pantheon Books.

9. Norton, R., Feldman, C. & Tafoya, D. (1974). "Risk Parameters across Types of Secrets." *Journal of Counselling Psychology*.

10. Schwolsky, E. (2001). "Keeping Secrets." *American Journal of Nursing*. Lippincott, Williams & Wilkins. Alguns elementos do exemplo apresentado foram alterados para que a criança não possa ser identificada.

11. Por exemplo, Austrália, Reino Unido, Estados Unidos, Nova Zelândia, Japão. Há patentes de dezessete anos no Canadá.

12. Hannah, D. R. (2006). "Keeping Trade Secrets Secret." *In: MIT Sloan Management Review*.

13. Noticiário da BBC (2006). Disponível em: http://news.bbc.co.uk/2/hi/5152740.stm

14. Kaplan, E. (1987). *Development of the sense of separateness and autonomy during middle childhood and adolescence*. Mahler, M. S., Pine, F. & Bergman, A. (1975). *The Psychological Birth of the Human Infant*. Nova York: Basic Books. Meares, R. & Orlay, W. (1988). "On Self Boundary: A Study of the Development of the Concept of Secrecy." *British Journal of Medical Psychology*, Reino Unido.

15. Meares, R. & Orlay, W. (1988). "On Self Boundary: A Study of the Development of the Concept of Secrecy." *British Journal of Medical Psychology*, Reino Unido.

16. Watson A. J. & Valtin, R. (1997). "Secrecy in Middle Childhood." *International Journal of Behavioural Development*.

17. Craig, D. R. (2011). *Lie Catcher: Become Human Lie Detector in Under 60 Minutes*. Sydney: Big Sky Publishing.

18. Last, U. (1991). "Secrets and Reasons for Secrecy Among School-Aged Children: Development Trends and Gender Differences." *Journal of Genetic Psychology*. Hebrew University of Jerusalem. Blos, P. (1967). "The second individuation process of adolescence". *Psychoannual Study Child* 22: 162-68.

19. Blos, P. (1979). *The Adolescent Passage*. Nova York: International Universities Press.

20. Craig, D. R. (2011). *Lie Catcher: Become Human Lie Detector in Under 60 Minutes*. Sydney: Big Sky Publishing.

21. Frij, T. (2005). *Keeping Secrets. Quality, Quantity and Consequences*. Tese de doutorado, Vu University, Amsterdã.

22. Kelly, A. E. (2011). In: Sykes, C. *The Two Types of Secrets*. Disponível em: www.purematters.com

23. Settle, M. (2009). BBC Radio Four, *The Secrets that People Keep from their Nearest and Dearest*. Disponível em: http://news.bbc.co.uk/2/hi/8366140.stm.

24. Norton, R., Feldman, C. & Tafoya, D. (1974). "Risk Parameters across Types of Secrets." *Journal of Counselling Psychology*.

25. Britton, G. R. A., Brinthaupt, J., Stehle, J. M. & James, G. D. (2004). "Comparison of Self-Reported Smoking and Urinary Cotinine Levels in a Rural Pregnant Population". *Journal of Obstetric, Gynecologic & Neonatal Nursing*.

26. Conforme relatado anonimamente no estudo de Norton, R., Feldman, C. & Tafoya, D. (1974). "Risk Parameters across Types of Secrets". *Journal of Counselling Psychology*.

27. Caughlin, J. P *et al.* (2000). "Intrafamily Secrets in various Family Configurations: A Communication Boundary Management Perspective". *Communication Studies*.

28. Vangelisti, A. L. (1994). "Family Secrets: forms, functions and correlates. *Journal of Social and Personal Relationships*.

29. IrabetBlack, E. (1998). *The Secret Life of Families*. Nova York: Bantam Books.

30. Caso relatado ao autor (2012). A identidade e o nome das pessoas foram protegidos, e o assunto acabou sendo informado à polícia por um dos familiares.

31. Não se deve inferir que o fato de ser pedófilo estaria diretamente ligado ao fato de Peter ser *gay*. Todavia, no caso relatado, a pessoa era tanto *gay* quanto pedófila.

32. Deve ser procurada a orientação de um advogado antes de tentar qualquer estratégia, para garantir que a elicitação desse tipo de informação, nesse ambiente, será realizada dentro da legislação vigente. O autor não apoia, de modo algum, a obtenção ilegal de informações sensíveis, de qualquer fonte que seja.

33. Computerworld GB reporter (2008). A maior parte da equipe de TI furtaria segredos das empresas: Disponível em: www.computerworlduk.com. Pesquisa realizada pela Cyber-Ark.

34. Hill, C. E., Thompson, B. J., Cogar, M. C. & Denman, D. W. (1993). "Beneath the surface of long term therapy: Therapist and client report of their own and each other's covert processes." *Journal of Counselling Psychology*.

35. Delaney-Black, V., Chiodo, L. M., Hannigan, J. H., Greenwald, M. K., Patterson, G., Huestis, M. A., Ager, J. & Sokol, R. J. (2009). "Just Say 'I Don't': Lack of Concordance Between Teen Report and Biological Measures of Drug Use." American Academy of Paediatrics. Só duas categorias de informação puderam ser divulgadas dentro dos termos do acordo – maus-tratos a crianças ou planos para ferir outras pessoas ou a si mesmas.

36. Britton, G. R. A., Brinthaupt, J., Stehle, J. M. & James, G. D. (2004). "Comparison of Self-Reported Smoking and Urinary Cotinine Levels in a Rural Pregnant Population." *Journal of Obstetric, Gynecologic & Neonatal Nursing*.

37. Kelly, A. E. (2002). *The Psychology of Secrets*. Nova York: Plenum. Em termos específicos, cinco clientes tiveram medo de expressar seus sentimentos; três ficaram com vergonha ou pouco à vontade; três acharam que revelar o segredo mostraria ao terapeuta uma falta de progresso.
38. Rettner, R. (2012). "1 in 10 Smokers Keep the Habit Secret from Doctors." *My Health News Daily*.
39. Olsen, J., Barefoot, J. C. & Strickland, L. H. (1976). "What the Shadow Knows: Person Perception in a Surveillance Situation." *Journal of Personality and Social Psychology*.
40. Bellman, B. (1984). *The Language of Secrecy*. New Brunswick: Rutgers University Press.
41. Wegner, D. M. Lane, J. D. & Dimitri, S. (1994). "The Allure of Secret Relationships." *Journal of Personality and Social Psychology*.
42. Jaffe, E. (2006). "The Science Behind Secrets." Association for Psychological Science.
43. Pesquisa realizada por Wegner em 1987 – resultados publicados no *Journal of Personality and Social Psychology*.
44. Ichiyama, M. A. *et al.* (1993). "Self-concealment and Correlates of Adjustment in College Students." *Journal of College Student Psychotherapy*.
45. Saffer, J. B., Sansone, P. & Gentry, J. (1979). "The Awesome Burden upon the Child who Must Keep a Family Secret." *Child Psychiatry and Human Development*.
46. Larson, D. G. & Chastain, R. L. (1990). "Self-concealment: Conceptualization, Measurement, and Health Implications." *Journal of Social and Clinical Psychology*.
47. Cole, S. W. *et al.* (1996). "Elevated Physical Health Risk Among Gay Men who Conceal their Homosexual Identity." *Health Psychology*.
48. Spiegel D. *et al.* (1989). "Effect of Psychosocial Treatment on Survival of Patients with Metastatic Breast Cancer." *The Lancet*.
49. Alguns acreditam que a pesquisa do dr. Pennebaker focalize mais o "não revelar eventos traumáticos" do que o "sigilo" – porém, tal proposição depende da descrição usada para definir o próprio sigilo. O trabalho do dr. Pennebaker ajusta-se à descrição usada neste livro.
50. Pennebaker, J. W. (2005). *Writing to Heal*. Disponível em: www.utexas.edu/features/2005/writing/.
51. Para obter mais detalhes, ver o livro do dr. Pennebaker, *Writing to Heal*.
52. Holmberg, U. & Christianson, S. A. (2002). "Murders and Sexual Offenders Experiences of Police Interviews and their Inclination to Admit or Deny Crimes." *Behavioural Sciences and the Law*.
53. Shepherd, E. (1991). "Ethical Interviewing." *Policing*. E também Shepherd, E. (1993). "Aspects of Police Interviewing. Issues in Criminological and Legal

Psychology." The British Psychological Society. Leicester, Inglaterra. Ord, B. *et al.* (2004). *Investigative Interviewing Explained.* Austrália: Butterworths.

54. Disponível em: http://www.thefreedictionary.com/empathy.

55. Koehnken, G., Milne, R., Memon, A. & Bull, R. (1999). "The Cognitive Interview – a meta-analysis." *Psychology Crime and Law.*

56. Bull, R. (1991). *Police Investigative Interviewing. In*: Memon, A. & Bull, R. *Handbook of the Psychology of Interviewing.* Chichester: Wiley.

57. Na época (2000), o agente estava usando o gravador ao falar em público, ensinando técnicas de comunicação – como exemplo do que não fazer!

58. São chamadas de "Outras mentiras focadas" e são ensinadas com detalhes em meu livro *Lie Catcher/Detect Deceit: Become a Human Lie Detector in Under 60 Minutes.*

59. VriJ, A. *et al* (2002). "Characteristics of Secrets and the Frequency, Reasons and Effects of Secret Keeping and Disclosure." *Journal of Community and Applied Social Psychology.* Reino Unido: Wiley and Sons..

60. Finkenauer, C. & Rime, B. (1998). "Socially Shared Emotional Experience Kept Secret: Differential Characteristics and Consequences." *Journal of Social and Clinical Psychology.*

61. VriJ, A. *et al.* (2002). "Characteristics of Secrets and the Frequency, Reasons and Effects of Secret Keeping and Disclosure." *Journal of Community and Applied Social Psychology.*

62. O número de participantes da primeira rodada, nos dois estudos, com questionários preenchidos num intervalo de quatro meses. Também duvido muito que os estudantes restantes não tenham tido nenhuma informação secreta.

63. Os resultados ponderados da primeira rodada foram interpretados segundo VriJ, A. *et al.* (2002). "Characteristics of Secrets and the Frequency, Reasons and Effects of Secret Keeping and Disclosure." e outra pesquisa sobre a revelação proporcional de segredos.

64. Percentuais ponderados de vários estudos refletem esses resultados proporcionais.

65. Goldstein, J. N., Martin, J. S. & Caildini, B. R. (2008). *Yes: 50 Scientifically Proven Ways to Be Persuasive.* Nova York: Free Press.

66. Garner, R. (2005). "What's in a name? Persuasion perhaps." *Journal of Consumer Psychology.*

67. Maddux, W., Mullen, E. & Galinsky, A. D. (2008). "Chameleons bake bigger pies and take bigger pieces: Strategic behavioural mimicry facilitates negotiation outcomes." *Journal of Experimental Social Psychology.* Tanner, R. *et al.* (2008). "Of Chameleons and Consumption: The Impact of Mimicry on Choice and Preferences." *Journal of Consumer Research.*

68. Para saber maneiras de distinguir com precisão um sorriso verdadeiro de um falso, ver meu primeiro livro: *Lie Catcher / Detect Deceit: Become a Human Lie Detector in Under 60 Minutes.*

69. Simmel, G. (1950). "The Secret and the Secret Society." *In*: Woiff, K. W. *The Sociology of Georg Simmel.* Nova York: Free Press. Richardson, L. (1988). "Secrecy and Status: The social construction of forbidden relationships." *American Sociological Review.*

70. Bellman, B. (1984). *The Language of Secrecy.* Nova Jersey: New Brunswick, Rutgers University Press.

71. Regan, D. T. (1971). "Effects of a Favour and Liking on Compliance." *Journal of Experimental Psychology.*

72. Finkenauer, C. (1988). Secrets: Types, Determinants, Functions and Consequences. Tese de doutorado inédita, Universidade de Louvain, Bélgica.

73. A história apresentada por James Kanter, do *New York Times* (agosto de 2009), é apenas um exemplo facilmente disponível. Disponível em: www.nytimes.com/2009/09/01/business /energy- environment/01iht- bulb.html.

74. Knishinski, A. (1982). "The effects of scarcity of material and exclusivity of information on industrial buyer perceived risk in provoking a purchase decision." *In*: Gilbert, D. T., Fiske, S. T. Lindzey, G. (1998). *The Handbook of Social Psychology.* Nova York: McGraw-Hill.

75. Knishinski, A. (1982). "The effects of scarcity of material and exclusivity of information on industrial buyer perceived risk in provoking a purchase decision." *In*: Gilbert, D. T. Fiske, S. T. & Lindzey, G. (1998). *The Handbook of Social Psychology.* Nova York: McGraw-Hill.

76. Cameron, S. (2010). *On the Farm: Robert William Pickton and the Tragic Story of Vancouver's Missing Women.* Canadá: Knopf.

77. Cameron, S. (2010). *On the Farm: Robert William Pickton and the Tragic Story of Vancouvers Missing Women.* Canadá: Knopf. Ver também *links* na CBC News, disponíveis em: http://www.cbc.ca/news/background/pickton/; http://www.cbc.ca/news/Canadá/british-columbia/story/2012/04/09/bc-survivor-missingwomen-inquiry.html.

78. Para tornar a transcrição mais fácil de ler, acrescentei pontuação e preenchi algumas lacunas lógicas na conversa. A transcrição completa [em inglês] e sem alterações pode ser encontrada em http://www2.Canada.com/story.html?id= 3374511. Ver também "A Serial Killers Own Words: The Pickton Transcript", publicado pelo *Vancouver Sun* em 7 de agosto de 2010. Vídeos dessa interação também são encontrados facilmente no YouTube.

79. CBC News, 9 de dezembro de 2007. Disponível em: http://www.cbc.ca/news/Canadá/story/ 2007/12/09/pickton-verdict.html.

80. Disponível em: http://www.theglobeandmail.com/news/national/decision-not-to-try-pickton-on-20-more-chargesoutrages-families/article1377465/.

81. CTV News, 16 de novembro de 2010. Disponível em: http://www.ctvnews.ca/serial-killer-robert-pickton-s-trial-cost-102-million-1.575485.

82. Myers-Briggs Type Indicator (INTP). Katherine C. Briggs & Isabel Briggs Myers Type Indicator test, Australian Council for Educational Research Limited (1999). Este exemplo não visa criticar tais testes, sendo usado para destacar que, em locais e momentos diferentes, o humor pode afetar a maneira pela qual as pessoas se comunicam umas com as outras.

BIBLIOGRAFIA

Bradshaw, J. (1996). *Family Secrets. The Path from Shame to Healing.* Random House Publishing Group.

Bellman, B. (1984). *The Language of Secrecy.* New Brunswick, Rutgers University Press.

Blos, P. (1967). "The second individuation process of adolescence." *Psychoannual Study Child* 22: 162-68.

_____ (1979). *The Adolescent Passage.* Nova York: International Universities Press.

Bok, S. (1989). *Secrets: On the ethics of concealment and revelation.* Nova York: Vintage Books.

Britton G. R. A., Brinthaupt. J., Stehle, J. M. & James G. D. (2004). "Comparison of Self-Reported Smoking and Urinary Cotinine Levels in a Rural Pregnant Population." *Journal of Obstetric, Gynecologic & Neonatal Nursing.* Estados Unidos.

Brown, L. K. & DeMaio, D. M. (1992). "The Impact of Secrets in Haemophilia and HIV Disorders." *Journal of Psychological Oncology,* The Haworth Press.

Bull, R. (1991). "Police Investigative Interviewing". *In*: Memon, A. & Bull, R. *Handbook of the Psychology of Interviewing.* Chichester: Wiley.

Caildini, R. B. (2001). *Influence: Science and Practice.* Needham Heights, Massachusetts: Allyn & Bacon.

Cameron, S. (2010). *On the Farm: Robert William Pickton and the Tragic Story of Vancouver's Missing Women.* Canada: Knopf.

Caughlin, J. P., Golish, T., Olson, L., Sargent, J., Cook, J. & Petrônio (2000). "Intrafamily Secrets in various Family Configurations: A Communication Boundary Management Perspective". *Communication Studies* (ed. de verão). Estados Unidos.

Cole, S. W., Kemeny, M. E., Taylor, S. E. & Visscher, B. R. (1996). "Elevated Physical Health Risk Among Gay Men who Conceal their Homosexual Identity". *Health Psychology*, American Psychological Association. Disponível em: www.cancer-network.org/media/pdf/cancer_gay_men_ disclosure_1996.

Delaney-Black, V., Chiodo, L. M., Hannigan, J. H., Greenwald, M. K., Patterson, G., Huestis, M. A., Ager, J. & Sokol, R. J. (2009). "Just Say 'I Don't': Lack of Concordance Between Teen Report and Biological Measures of Drug Use." American Academy of Paediatrics.

Eagly, A. H. & Chaiken, S. (1998). "Attitude Structure and Function." *In*: Gilbert, D., Fiske, S. & Lindsay, G. *Handbook of Social Psychology*. Nova York: MacGraw-Hill.

Finkenauer, C. & Rime, B. (1998). "Socially Shared Emotional Experience Kept Secret: Differential Characteristics and Consequences." *Journal of Social and Clinical Psychology*.

Finkenauer, C., Engles, R. C. & Meeus, W. (2002). "Keeping Secrets from Parents: Advantages and Disadvantages of Secrecy in Adolescence." *Journal of Youth and Adolescence*.

Frij, T. (2005). *Keeping Secrets; Quality, Quantity and Consequences*. Tese de doutorado, Vu University, Amsterdã.

Garner, R. (2005). "What's in a name? Persuasion perhaps." *Journal of Consumer Psychology*.

Gilbert, D. T., Fiske, S. T. & Lindzey, G. (1998). *The Handbook of Social Psychology*. Nova York: McGraw-Hill.

Goldstein, J. N., Martin, J. S. & Caildini, B. R. (2008). *Yes. 50 Scientifically Proven Ways to be Persuasive*. Nova York: Free Press.

Hannah, D. R. (2006). "Keeping Trade Secrets Secret." *MIT Sloan Management Review*.

Hill, C. E., Thompson, B. J., Cogar, M. C. & Denman, D. W. (1993). "Beneath the Surface of Long-term Therapy: Therapist and Client Report of their own and each other's Covert Processes." *Journal of Counselling Psychology*.

Holmberg, U. & Christianson, S. A. (2002). "Murders and Sexual Offenders Experiences of Police Interviews and their Inclination to Admit or Deny Crimes." *Behavioural Sciences and the Law*.

Ichiyama, M. A., Colbert, D., Laramore, H., Heim, M., Carone, K. & Schmidt, J. (1993). "Self-concealment and Correlates of Adjustment in College Students." *Journal of College Student Psychotherapy*. Disponível em: www.tandfonline.com.

IrabetBlack, E. (1998). *The Secret Life of Families*. Nova York: Bantam Books.

Inbau, F. E., Reid, J. E., Buckley, J. P. & Jayne, B. C. (2001). *Criminal Interrogation and Confessions*. Gaithersburg, MD: Aspen.

Jaffe, E. (2006). "The Science Behind Secrets." Association for Psychological Science — Observer Article. Disponível em: http://www.psychologicalscience.org/observer/getArticle.cfm? id=2015.

Kaplan, E. (1987). "Development of the sense of separateness and autonomy during middle childhood and adolescence." *In*: Bloom-Feshbach, J. & Bloom-Feshbach, S. (orgs.). *The Psychology of Separation and Loss*. São Francisco, CA: Jossey-Bass.

Keane, C. (2008). "Don't Ask, Don't Tell." *Journal of Management Enquiry*. Canadá: Sage Publications.

Kelly, A. E. (2002). *The Psychology of Secrets*. Nova York: Kluwer Academic/Plenum Publishers.

_____ (2011). *The Two Types of Secrets* by Sykes, C. Disponível em: www.pure-matters.com.

Kent, R. (2007). "Secrets and Lies." *Nursing Standard* 25-31 July. RCN Publishing Company.

Knishinski, A. (1982). *The effects of scarcity of material and exclusivity of information on industrial buyer perceived risk in provoking a purchase decision*. Tese de doutorado. Arizona State University.

Koehnken, G., Milne, R., Memon, A. & Bull, R. (1999). "The Cognitive Interview: A meta-analysis." *Psychology Crime and Law*.

Larson, D. G. & Chastain, R. L. (1990). "Self-concealment: Conceptualization, Measurement, and Health Implications." *Journal of Social and Clinical Psychology*. Guilford Press Periodicals.

Last, U. (1991). "Secrets and Reasons for Secrecy Among School-Aged Children: Development Trends and Gender Differences." *Journal of Genetic Psychology*. Hebrew University of Jerusalem.

Lehmiller, J. J. (2009). *Secret Romantic Relationships: Consequences for Personal and Relational Well-Being*. Society for Personality and Social Psychology.

Maddux, W. W., Mullen, E. & Galinsky, A. D. (2008). "Chameleons bake bigger pies and take bigger pieces: Strategic behavioural mimicry facilitates negotiation outcomes." *Journal of Experimental Social Psychology*.

Margolis, G. (1974). "The Psychology of Keeping Secrets." *International Review of Psychoanalysis*.

Mahler, M. S., Pine, F. & Bergman, A. (1975). *The Psychological Birth of the Human Infant*. Nova York: Basic Books.

Meares, R. & Orlay, W. (1988). "On Self Boundary: A Study of the Development of the Concept of Secrecy." *British Journal of Medical Psychology*. Reino Unido.

National Women's History Museum (2007). *A History of Women in Industry*. Disponível em: www.nwhm.org/online-exhibits/industry.

Norton, R., Feldman, C. & Tafoya, D. (1974). "Risk Parameters across Types of Secrets." *Journal of Counseling Psychology*.

Olsen, J., Barefoot, J. C. & Strickland, L. H. (1976). "What the Shadow Knows: Person Perception in a Surveillance Situation." *Journal of Personality and Social Psychology*.

Ord, B., Shaw, G. & Green, T. (2004). *Investigative Interviewing Explained*. Austrália: Butterworths.

Pennebaker, J. W. (2005). "Writing to Heal." University of Texas. Disponível em: www.utexas.edu/features/2005/writing/.

Pennebaker, J. W. (1989). "Confession, Inhibition and Disease." *Advances in Experimental Social Psychology*.

Pennebaker, J. W. (1990). *Opening up: the Healing Powers of Confi ding in Others*. Nova York: Morrow.

Pennebaker, J. W. & Beall, S. K. (1986). "Confronting a Traumatic Event: Toward an Understanding of Inhibition and Disease." *Journal of Abnormal Psychology*.

Pennebaker, J. W. (1997). "Writing about Emotional Experiences as a Therapeutic Process." *Psychological Science*.

Pennebaker, J. W. Colder, M. & Sharp, L. K. (1990). "Accelerating the Coping Process." *Journal of Personality and Social Psychology*.

Pennebaker, J. W., Kiecolt-Glaser, J. K. & Glaser, R. (1988). "Disclosure of Traumas and Immune Function: Health Implications for Psychotherapy." *Journal of Consulting and Clinical Psychology*.

Petrie, K. J., Booth R. J., Pennebaker, J. W., Davison, K. P. & Thomas, M. G. (1995). "Disclosure of Trauma and Immune Response to a Hepatitis B Vaccination Program." *Journal of Consulting and Clinical Psychology*.

Regan, D. T. (1971). "Effects of a Favour and Liking on Compliance." *Journal of Experimental Psychology*.

Rettner, R. (2012). "1 in 10 Smokers Keep the Habit Secret from Doctors." *My Health News Daily*. Disponível em: http://www.myhealthnewsdaily.com.

Richardson, L. (1988). "Secrecy and Status: The social construction of forbidden relationships." *American Sociological Review.*

Saffer, J. B., Sansone, P. & Gentry, J. (1979). "The Awesome Burden upon the Child who Must Keep a Family Secret.' *Child Psychiatry and Human Development.* Disponível em: www.ncbi.nlm.nih.gov/pubmed/467129.

Scarf, M. (2004). *Secrets, Lies, Betrayals: How the Body Holds Secrets of a Life, and How to Unlock Them.* Random House.

Schollum, M. (2005). *Investigative Interviewing: The Literature.* Escritório do Comissário de Polícia da Nova Zelândia.

Schwolsky, E. (2001). "Keeping Secrets." *American Journal of Nursing.* Lippincott, Williams & Wilkins.

Settle, M. (2009). "The Secrets that People Keep from their Nearest and Dearest." Disponível em: http://news.bbc.co.uk/2/hi/8366140.stm.

Shepherd, E. (1993). "Aspects of Police Interviewing." *In: Criminological and Legal Psychology.* Leicester, Inglaterra: The British Psychological Society.

Simmel, G. (1950). "The Secret and the Secret Society." *In:* Wolff, K. W. *The Sociology of Georg Simmel.* Nova York: Free Press.

Spiegel, D., Bloom, J. R., Kraemer, H. C. & Gottheil, E. (1989). "Effect of Psychosocial Treatment on Survival of Patients with Metastatic Breast Cancer." Department of Psychiatry and Behavioural Sciences, Stanford University School of Medicine, Califórnia.

Tanner, R. *et al.* (2008). "Of Chameleons and Consumption: The Impact of Mimicry on Choice and Preferences." *Journal of Consumer Research*, Estados Unidos.

Tisseron, S. (2002). "The Weight of the Family Secret." *Queensland Quarterly*, Reino Unido.

Vangelisti, A. L. (1994). "Family Secrets: forms, functions and correlates." *Journal of Social and Personal Relationships.*

VriJ, A., Nunkoosing, K., Paterson, B., Oosterwegel, A. & Soukara, S. (2002). "Characteristics of Secrets and the Frequency, Reasons and Effects of Secret Keeping and Disclosure." *Journal of Community and Applied Social Psychology.* Reino Unido: Wiley and Sons.

Watson, A. J. & Valtin, R. (1997). "Secrecy in Middle Childhood." *International Journal of Behavioural Development.*

Wegner, D. M., Lane, J. D. & Dimitri, S. (1994). "The Allure of Secret Relationships." *Journal of Personality and Social Psychology.*

Impresso por :

gráfica e editora

Tel.:11 2769-9056